十三經

概論 上

夏傳才 著

目錄

序

夏傳才

十三經是中國古代影響最大的十三部儒家基本經典，是中國傳統文化的重要代表。它們曾經被作爲中國人的傳統讀本、歷代學者長期研究的對象，也爲全世界的華人和各國漢學家所研讀。它們卷帙浩繁，語言古奧艱深，涉及許多學科，當代讀者很難通讀。對它們的主要內容，用現代的觀點，以通俗暢曉的語言，簡明扼要地作科學的、概括的、系統的評述和介紹，對弘揚民族文化，批判繼承文化遺產，進行中外文化交流，都是必要的、有益的。

本世紀初葉的幾位國學大師，曾有《羣經概論》之類的著述，內容闕略繁冗不等，觀點頗多陳舊，不能納入現代文化的範疇。四十年代初蔣伯潛先生著《十三經概論》，迄今仍爲海內外通行的傳本，其內容和表達形式，早已不適合半個世紀後的當代的需要。此後，朱自清先生著《經典常談》，范文瀾先生著《經學講演錄》、《中國經學史的演變》、周予同先生著《經學史論著選集》，把經學研究提高到新水平。八十年代北京中華書局《文史知識》雜誌連續發表《經書淺談》，均由名家執筆，在新時期帶了個頭，開創之功不會磨滅，惜過於簡略。半個世紀以來，包括經學在內的整個學術領域有很大進展，出現了由舊質到新質的飛躍，地下資料也有新的發現，完全有必要，也有可能在初步總結傳統研究的基礎上，吸取現代學術研究和地下發掘的新成果，對十三經逐一進行概括的評述。人類的認識規律總是不斷地由淺入深，由片面到全面，由低級到高級的發展，永無止境，而後來者居上，完成一部打著我們時代印記的新的十三經概論，是歷史給予當代學人的任務。

由於工作需要，八十年代筆者爲研究生開設這門課，目的是扼要地、評述性地介紹這十三部經典的主要內容；其間也應邀在九所大學講述了本課的全部或一部。這些知識對學生有吸引力，加上當時的「傳統文化熱」，很受歡迎，本書就是在講稿的基礎上於一九八六年開始撰寫的，在教學實踐的過程中，吸取各方面的意見，不斷吸收新的資料，邊講邊改，初稿、再稿、初步成書，又用一年多的時間進行了修改和充實。這本書成爲現在的樣子，用了整整七年時間。

研究十三經的古籍浩若煙海，古人即有「皓首窮經」之說，任何一位學人終有生之年也不可能把所有經學著述讀完。現當代的論著亦何止萬千，筆者限於條件，必然孤陋寡聞；兼之十三經所涉及學科門類相當廣泛，評述實難處處中肯。從古到今，每一經都有難解的問題，聚訟的懸案，更非個人所可斷定。幸好本書的任務在於評述介紹各經主要內容，對前賢和現當代名家的許多卓見，筆者旨在綜合——分析——綜合，求同存異，或斟酌取捨；雖然如此，其訛誤不當之處，亦當難免。筆者年屆七旬，精力衰退，年齡已不允許我再鑽研幾年，只有將書稿問世，寄希望於專家和讀者的教正了。

一九九三年七月於思無邪齋

第1章 經和經學

中國的文化，以儒學爲主體，儒學以經學爲根本。研究中國傳統文化，清理中國文化發展的過程，不能不了解經學。了解經學，不能不首先了解什麼是「經」，什麼是「經學」。

第一節 什麼是「經」

什麼是「經」？從古到今，許多學者對這個問題進行考釋，曾經形成「經名考」這項學問，給「經」字所下義項不下二三十個。衆說紛紜，讓人眼花撩亂，以致現代一位著名的學者范文瀾嘆息說：「什麼叫『經』，恐怕誰也講不通。……爲什麼叫『經』，是無法說清楚的。」①其實，把古今的考釋去僞存眞、去粗取精，是可以大體上講通、說清的。

「經」的初字是「巠」，始見於周代銅器：盂鼎、克鼎、毛公鼎、克鐘上面都有「巠」字。「巠」即「絲」。古文學家認爲：「巠」就是「綫」。古代的典籍寫在二尺四寸長（漢制尺約近今二十公分）的竹簡或木牘上，用絲繩串起來。這樣大的簡牘，在當時是最大號的，相當於現代最大的版本，表示用它書寫的典籍重要；這些典籍就叫「經」。解釋這些「經」的意義的文字，寫在較小的簡牘上，大約八寸或六寸長（漢制寸約近今二公分），就稱爲「傳」，以示與前者的區別。「經」也就是孔子讀《易》「韋編三絕」的「韋編」，只是用皮條代替絲繩或麻繩罷了。現代在考古發掘中出土的竹簡、木牘，都有用絲繩、麻繩、皮條編綴成册的痕迹。這個問題，最後的一位古文學大師章太炎說得好，他說：「經者，編絲連綴之稱，猶印度梵語之稱『修多羅』也。」②印度的「修多羅」也是以絲編貝葉爲書，漢譯也譯爲「經」。所以，「經」原來是指重要的書籍。

從「經」這個字本來的意義來說，這個名稱原來並不是某一家學派專用的。戰國時期，諸子百家的典籍往往稱「經」。在現有文獻中，最早用「經」名的是《墨子》，有《墨經》上、下篇。《莊子・天下篇》開始稱儒家的六種典籍爲「六經」，可見那時儒家學派已稱這些典籍爲「經」了。戰國後期的《荀子》一書裡引述《道經》（今不存）的文字。《國語・吳語》「挾經秉桴」，稱兵書爲「經」。《內經》、《難經》則稱醫書爲「經」。可見，「經」一詞，各個學派都可用以稱謂自己學派的重要典籍。

漢武帝實行「罷黜百家，獨尊儒術」的思想文化政策，確立儒家思想爲一尊。爲了樹立儒家思想的權威地位，一方面由政府立五經博士（國家任命的教授）廣泛傳授儒家經典；一方面製造各種說詞，把儒家經典神聖化。於是，「經」的詞義被無限引申。如：

班固《白虎通》釋「經」爲「常」：「經，常也，有五常之道，故曰五經。《樂》，仁；《書》，義；《禮》，禮；《易》，智；《詩》，信也。」這是說：「經」是社會倫理道德的準則。

許慎《說文解字》釋「經」爲「織」。段玉裁注：「織之從絲謂之經，必先有經，而後有緯，是故三綱五常六藝謂之天地之常經。」這又進一步把「經」說成是貫穿天地和人世間一切事物的最根本的理絡。

劉熙《釋名．釋典藝》又說：「經，徑也，常典也，如徑路無所不通，可常用也。」這是說：「經」的內容無所不包，無所不能，是處理事事物物的門徑。

《孝經序疏》引皇侃曰：「經者，常也，法也。」鄭玄《孝經注》：「經者，不易之稱。」南朝梁代劉勰把這個意思作了更明確的概括：「經也者，恆久之至道，不刊之鴻敎也。」③這是說：「經」是必須遵循的萬世不可改變的法則。

從漢儒到清儒，這類解釋還有很多，這些紛繁衆多的義項，基本意思只有一個：「經」是萬世不變的永恆眞理，它放之四海而皆準，天地間無往而不通。

這樣的一些引申，距離「經」名的本義，已經很遠了。

從漢代開始，儒家幾部古老的典籍，被封建政府頒定爲法定教科書，唐代又欽定爲「明經」科舉士的考試內容，到明、淸兩代，仍是科舉考試的依據。這樣，「經」又成爲封建國家法定教科書和科舉考試用書的代稱。

西漢儒家曾經把讖緯神學和陰陽五行學說與五經結合，從而把「經」的內容和名稱宗教化、神祕化，再和偶像化的孔子聯繫在一起，它又變成宗教性的聖經。以後其他教派也各立自己的「經」，如道教稱《老子》爲《道德經》，稱《莊子》爲《南華經》，稱《列子》爲《沖虛至德眞經》；佛教、伊斯蘭教宣揚教義的典籍，分別譯稱《佛經》、《可蘭經》。「經」這個名稱又指某一教派宣揚教義的用書。中國封建末世的頑固保守派，曾經倡議創立孔教，奉孔子爲教主，奉五經爲孔教的經書，也同樣是把儒家經書作爲新宗教的聖經。

我們現在談的「經」，是恢復它的本來面目，指的是古代儒家的幾部重要書籍。我們承認它們在長期封建社會中起著重要的作用，但是並不認爲它們有絲毫的神聖性，而只是把它們看作是一些有研究價值的古老文獻，努力恢復它們本來的面目。

第二節 孔子與六經

我們現在講的十三經，是經過歷代擴充，到宋代才完成的。在戰國時代，儒家學派只傳授六經，而傳到漢代的是五經。以後所說的七經、九經、十一經、十三經，或五經四書，都是從五經擴充的。五經是十三經的核心和基礎，是儒家最基本的經典。

孔子和六經的關係是什麼？是中國文化史上長期爭論不休的問題。

在先秦文獻裡有關於這個問題的記述。《莊子．天運》記述孔子問禮於老聃曰：「丘治《詩》、《書》、《禮》、《樂》、《易》、《春秋》六經，自以爲久矣，孰知其故矣？」老子曰：「夫六經，先王之陳迹也。」《論語》多次談到孔子以《詩》、《書》、《禮》、《樂》教授弟子。《孟子》的〈滕文公下〉、〈離婁下〉都說孔子依據魯國史記作《春秋》。《荀子．儒效》稱孔子爲聖人，稱堯、舜、文、武、周公爲聖王，說五經記述了聖王和聖人的「志、事、行、和、微」。綜合先秦這些資料，可以這樣認爲：孔子搜集、整理古代文獻，整理出六種教本傳授學生。這個說法，大體上歷代是公認的。

司馬遷著《史記》，他調查孔子的事迹，綜合當時留存的材料，在〈孔子世家〉中作了比較系統的敍述。他說：在孔子時代，「《禮》、《樂》廢，《詩》、《書》缺」，孔子搜集三代文獻，編次《書》並序《書傳》，刪訂《詩》「以求合韶、武、雅、頌之音」，修正《禮》、《樂》，作《易》的〈彖辭〉、〈象辭〉、〈繫辭〉、〈文言〉、〈說卦〉等部分，又據魯國史記作《春秋》」。司馬遷的記述，反映今文學的觀點。古文學提出五經都是西周舊典，但不否認孔子曾經進行刪訂並作過序傳，他們甚至僞造一些書僞託孔子的名義。宋學雖然對司馬遷的記述提出過一些懷疑和異議，但主要是論證孔子整理過哪一部分或未整理過哪一部分，作過哪些序傳或未作過哪些序傳，以及對僞書辨僞，從總體上仍然維護孔子的著述權。清代所進行的論爭，基本上沒有越出這個範圍。經過他們的考辨，使人們對問題加深了解。大體上說，清代的古文學者認為孔子主要是整理這些古代文獻，論證許多託名孔子的序傳並不是孔子著的；清代的今文學者則堅持六經是孔子的著述。

綜合前人的論證和考辨，我們可以得出以下認識：

首先，六經本來是古老的文獻，《易》是古代占筮用書，《書》是三代歷史檔案文獻，《詩》是周代詩歌總集，《禮》（指《儀禮》）是殘缺不全的周、魯各國禮儀的記錄，《樂》早已亡佚不論，《春秋》是魯國的編年史。在孔子生活的春秋末年，由於周室衰微和舊貴族沒落，大批文獻散失或殘缺。孔子歷來愛好和重視古代文獻，進行大量搜集。他晚年創辦私學，因為教學需要，分別進行不同程度的整理，整理出六種教本傳授給學生。後來他的弟子，形成戰國時期最大的儒家學派，將這六種教本代代相傳，便成爲儒家的基本經典。由此可見，正是由於孔子的搜集、整理和傳授，這些古老而珍貴的文獻才不致於湮沒；也正是由於孔子在舊社會顯赫的地位及其在思想界崇高的聲望，這些文獻才歷經漫長的歲月，歷經無數次社會的動亂，仍得以保存和流傳。

其次，關於孔子整理每部經書的具體情節，例如，古時古詩和三代文獻，孔子見到的究竟有多少，他如何整理和刪訂等等，古人沒有留下材料，我們無法考證。但是，我們從確實可信的《論語》中，通過孔子自己的說明，還是可以大體上了解孔子整理六經的基本情況，孔子自述他整理古文獻的原則和方法有四點：

一、「述而不作，信而好古」（《論語・述而》）：他說他相信和愛好古代文獻，他只是傳述它們，而不增添和創作新的內容；由此可以相信，經他選錄的這些文獻，能夠基本上保持原來的內容和表達風格，具有歷史的眞實性，從而爲後世保存了比較可靠的史料。

二、「不語怪、力、亂、神」（《論語・述而》）：他排斥妄誕、苛政、暴力和神鬼迷信等內容，這些內容在五經中確實沒有選錄。

三、「攻乎異端，斯害也已」（《論語・爲政》）：他所說的「異端」，指的是與他的學說絕不可相容的對立的學說，他認為讓學生接觸異端學說，會產生極大的弊害，因此必須予以排斥，因而在五經中無一選錄。

四、「《詩》、《書》、執禮，皆雅言也」（《論語．述而》）：他對原始文獻和各國土風的整理，都採用雅言，即當時通行的標準語，因而必然要進行文字和語法的改動和加工，取得語言上的統一。

從上述四條原則和方法來看，孔子的「述而不作」，實際上是以述代作，既保存原來的內容和文辭，又反映孔子的哲學觀點和政治觀點，並且實現了內容的精煉和在當時條件下的語言規範化，從這個意義上說，六經又可以說是孔子的著述。

再次，我們現在看到的五經，已經不完全是當年孔子整理刪訂的原貌。這一方面是因為在五經流傳過程中，內容不斷豐富，有後人增添的內容，如《易》的經文有戰國人補充的；《儀禮》第十七篇是後加的；《書》今文二十八篇中的一部分寫定於戰國。在另一方面，古代文獻傳授多為口耳相傳，或手書於簡牘，很難準確統一；尤其經過秦代焚書，漢初各經各家傳本的編次和文字都有所不同，很難確定某家傳本最接近孔子手定的原本。至於後來又擴充為七經、九經、十一經、十三經，所擴充的經書，多是後儒的著述了。不過，我們現在看到的五經，雖然已經不是孔子的原本，但是仍以孔子的原本為核心和基礎，它們仍與孔子有密切的關係。

第三節　從六經到十三經

通行的儒經有十三種，即所謂十三經。它是六經經過一千餘年的不斷擴充發展到宋代而完成的，其間，經學的內容也不斷豐富和發展。

先秦時期的六經，傳到西漢只有五經，東漢時有七經之名，唐代先後擴充爲九經、十二經，宋代再增至十三經。《十三經注疏》的通行本是清代阮元的校刻本。

❖六經的次第

在先秦文獻裡稱述六經之名，始見於《莊子》的〈天運〉、〈天下〉、〈徐無鬼〉諸篇。西漢又稱六經爲「六藝」，如司馬遷《史記．滑稽列傳》。「六藝」，也就是六種教學科目的意思。儒家學派確曾把它們作爲教學科目。

六經的次第如何排列，從漢代起，一直是有不同意見的，各行其是，爭執不下達兩千餘年。這個爭論，反映了對待六經的不同的指導思想，表現了對諸經內容和產生時代的不同解釋。

從先秦到西漢今文經學派，一般都這樣排列六經的次第：《詩》、《書》、《禮》、《樂》、《易》、《春秋》。所以這樣排列，是根據這六種教學科目的深淺程度和課程安排的先後順序。《詩》列於首，始自孔子。孔子多次談教學教材，《論語．泰伯》：「興於《詩》，立於《禮》，成於《樂》。」《論語．述而》：「《詩》、《書》、執禮，皆雅言也。」《禮記．經解》引述孔子的話：「入其國，其教可知也。其爲人也，溫柔敦厚，《詩》教也；疏通知遠，《書》教也；廣博易良，《樂》教也；絜淨精微，《易》教也；恭儉莊敬，《禮》教也；屬辭比事，《春秋》教也。」這裡的《禮》、《樂》次序偶亂，但還是以《詩》、《書》爲首。孔子認爲《詩》有「興、觀、羣、怨」的功能，同時還是常識課本；《論語．陽貨》：「小子何莫學夫詩？詩可以興，可以觀，可以羣，可以怨。邇之事父，遠之事君，多識於鳥獸草木之名。」《詩》也是語言課本，《論語．季氏》：「不學《詩》，無以言。」因此，孔子把《詩》作爲入門教科書。孔子想讓他的學生將來從政，《書》是歷代政府檔案文獻，所以要學《書》增長政治知識。《詩》、《書》是孔門教學的基礎課，所以列在先。《禮》、《樂》是實踐課，所以列在其次。《易》、《春秋》文字艱深，含義幽微，今文學家認爲《易》窮天地陰陽之變化，《春秋》蘊含孔子的「微言大義」，二者發揮孔子的哲學思想和政治思想，屬於高級教育，所以列爲最後的教學科目。

古文經學派的六經次第則是：《易》、《書》、《詩》、《禮》、《樂》、《春秋》。他們這樣排列，是依照他們所理解的六經產生時代的早晚次序。班固的《漢書》和《白虎通》，范曄的《後漢書》，採古文經學的觀點，都這樣排列。唐代陸德明《經典釋文》序錄說得很明白：「五經六籍，聖人設教……今以著述早晚，經義總別，以成次第」，「《周易》雖文起周代，而卦肇伏羲，既處名教之初，故《易》爲七經之首。《古文尚書》既起五帝之末，理後三皇之經，故次於《易》。《毛詩》既起周文，又兼商頌，故在堯、舜之後，次於《易》、《書》。《周》、《儀》二禮，並周公所制，宜次文王。《春秋》既是孔子所作，理當後於周公，故次於《禮》。」古文學家在這裡所論斷的諸經產生的時代，是很不準確的。經後人考證：所謂伏羲畫八卦，是無根據的傳說，《易》是占筮用的書，由兩種最簡單的基本符號構成的卦畫，和後來抽簽算卦指示某簽某卦的號碼一樣，只是標識性的符號，本身並沒有什麼意義；《古文尚書》實際上是後人的僞作，保存在《今文尚書》中的〈堯典〉，也不是唐堯時代遺留的文獻，而是周代史官據遺聞傳說所編寫；《毛詩》中的《商頌》產生的時代有疑問，並不一定是殷商時代的頌詩，而是春秋時期宋國的祭祀樂歌，產生的時代較其他詩篇不是早，而是晚；《周禮》實際不完成於西周，而是經由戰國以迄東漢儒家的編纂和增補而成。近世這方面的考證，大多具有不可辯駁的說服力，證明古文經學六經次第所據以建立的時代論斷不可憑信。

在整個文化史上，今文學派、古文學派、宋學派以及清代的新漢學派，關於六經產生的時代，曾長期地進行熱烈的爭辯。這些爭論，基本上是今文學派與古文學派的兩種不同觀點，反映了對六經根本性質的兩種不同認識。一派主張六經是孔子删定的不同課程的教科書，六經次第按內容深淺、課程先後來排列。一派認爲六經是古代史料，六經次第應按史料的時代先後來排列。

有的人認爲六經是孔子垂敎天下的萬世準則，其中包含著深奥的「微言大義」，所以不可改易和違背；有的人認爲「六經皆史」，孔子只是整理過其中的史料而已。關於六經與孔子的關係，對各經又各有不同的意見。

我們認爲今文經學的六經次第，比較符合先秦時期儒家學派使用這六種典籍的實際情況，但並不同意今文學派所說的，它們的內容是什麼「萬世準則」，或其中有所謂聖人的「微言大義」。古文經學派按六經的時代先後安排次第，雖也不失爲一種可取的方法，但它對諸經時代的論斷是錯誤的。《十三經注疏》中的諸經次第，基本承襲古文經學派的觀點，現在大家仍然採用。本書也採用這個次第，因爲這個注疏本已通行將近千年，我們只是沿襲習慣的排列，並不同意它所說的諸經產生的時代。

❖六經存五經

先秦時代的六經，傳下來的只有五經。

西漢初董仲舒《春秋繁露．玉杯》篇裡還是六經經名並稱。文帝、武帝時期立五經博士，沒有治《樂》傳《樂》博士，說明在官學傳授的沒有《樂》這個科目。司馬遷作《史記．儒林傳》，已不見《樂經》之名。可見在西漢前期，《樂》已經失傳，六經只存五經。

關於《樂》亡佚的問題，自來有兩派意見：

一派認爲，先秦的六種經書，由於秦始皇焚書坑儒，都受到很大的摧殘，依靠在民間口耳相傳而艱難地保存。漢初開書禁，靠口耳相傳的各經才得以記錄復出。由於傳述者不是一家，記憶有所不同，所以各經有不同的傳本。至於《樂》，它的主要構成部分是曲調樂譜，不經過一定的訓練是不能辨認和傳習的，當時自然沒有這個條件，所以到漢初時，已經無人能夠傳授。

另一派則認爲，原本就沒有《樂經》。如清．邵懿辰《禮經通論》說：「樂本無經也。……夫聲之鏗鏘鼓舞，不可以言傳也；可以言傳，則如制氏等之琴調曲譜而已。」「樂之原在《詩》三百篇之中，樂之用在《禮》十七篇之中……而初非別有《樂經》也。」照他們的意見，樂是沒有文字的一些樂譜，並不獨立成書，漢儒傳經重文字之章句訓詁，未諳古樂譜，因而這些樂譜失傳。

究竟原來有沒有《樂經》，它是否獨立成書呢？考察先秦文獻，我們可以確定古有《樂經》，理由有二：

一、六經之名，古有記載，它不僅見於儒家文獻如《論語》、《孟子》、《荀子》等書，也見於諸子著作如《莊子》、《呂氏春秋》、《商君書》等書；可見，它是戰國時期通行的古籍之一。

二、它是儒家的一個獨立的教學科目。孔子重詩教，也重樂教，「興於《詩》，立於《禮》，成於《樂》」，三者教學內容和教學目的不同，傳授時間有先有後，先學《詩》，以後次第學《書》、學《禮》、學《樂》，它不可能沒有獨立的教材而僅僅作爲《詩》、《禮》的附庸。

那麼，《樂》是不是只有樂譜而沒有文字呢？這也是不可能的，理由也有二：

一、作爲一個獨立教學科目的教材，不可能只是樂譜而沒有說明文字和理論指導文字。

二、音樂問題在先秦諸子百家爭鳴中曾引起我國第一次重要的文藝論爭，《論語》中有孔子的音樂評論和樂教理論，墨子針鋒相對地著〈非樂〉，老莊學派提出「大音希聲」的理論，荀子捍衛和發展儒家樂教理論而著〈樂論〉。

在先秦流傳的《樂經》，從它產生到整個流傳過程，不能說其中絕無儒家音樂基礎理論和樂教理論的文字。漢儒說，後來收進《禮記》中的〈樂記〉是《樂經》的殘文，雖無確鑿的證明，卻不失爲可供參考的一說。

《樂》究竟爲什麼會失傳呢？我們認爲，前面所說的第一種意見，即由於秦代的嚴禁，《樂》因不易口耳相傳而失傳，只是一個方面的原因；另一方面還有西漢的歷史條件和《樂》本身的原因。孔子愛好的音樂是古樂，他贊賞〈韶〉樂、〈武〉樂，整理〈雅〉樂、〈頌〉樂，《史記·孔子世家》說：「三百五篇，孔子皆弦歌之，以求合〈韶〉、〈武〉、〈雅〉、〈頌〉之音。」當時民間興起新樂，即「鄭聲」，孔子認爲鄭聲淫，《論語·陽貨》說：「惡紫之奪朱也，惡鄭聲之亂雅樂也，惡利口之覆邦家者。」於是，這位音樂復古派進行「正樂」，他編定的音樂教材，自然對新樂採取排斥的態度。人們評論說聽古樂想睡覺，聽新樂不知倦，古樂莊重平板，而且又必須有一定規模的樂隊，還要使用古老笨重的樂器，不如新樂生動活潑感人，演奏方便，所以在戰國時期古樂已經落後過時，傳習者逐漸減少。秦代焚書是儒經流傳的一次厄運，其中《樂》流傳的困難尤大。不過，它也沒有因此完全滅絕，殘餘的片段文字和某些樂譜還是流傳下來一些，說〈樂記〉中有《樂經》的殘文，看來是可信的，而且一直到魏晉時代，還有人演奏部分〈韶〉樂。問題在於，西漢「獨尊儒術」，在六經中的《詩》、《書》、《禮》、《易》、《春秋》五經，都可以通過訓詁和義疏的重新解釋發展改造爲適用的上層建築，而樂譜沒有改造利用的可能與必要，因此無須費力收集整理，所以除了保存一部分殘文，內容和形式都已經落後過時的樂譜，就任憑它們自然淘汰了。

西漢前期立《易》、《書》、《詩》、《禮》、《春秋》五經博士，即任命了這五種學科的專任教授，在官學傳授這五種學科，從此《樂》就從原來的儒經中消失了。

❖東漢的七經

舊社會的發展，爲政者提出加强思想統治的新的要求。原有的五經內容，不能完全滿足思想統治的需要，在經學這個外殼內，需要而且可能增加新的內容，於是，在東漢開始增加新的「經」——由五經發展爲七經。

「七經」之稱，始見於《後漢書．趙典傳》注引《謝承書》：「典學孔子七經……受業者百有餘人。」究竟指哪七種典籍，說法卻不盡一致，其出入是在五經外增加什麼，這說明曾經有不同的主張，有過一段實驗、探索的過程。東漢通行的七經是：《易》、《書》、《詩》、《禮》、《春秋》、《論語》、《孝經》。東漢除立五經爲官學外，又規定《論語》、《孝經》爲學生識字後的必讀書；治五經者，可以治多經，也可以專治一經，但《論語》、《孝經》卻是人人非讀不可，後來乾脆就合稱爲七經。

漢代統治階級推崇五經，主要是利用以「君權神授」、「天人合一」爲中心的讖緯神學，它的思想基礎是愚民哲學；因而，需要樹立一個精神上的偶像，使這個偶像成爲思想的無上權威。這個偶像，他們選中了儒家學派的祖師孔子。孔子生前並不得意，死後被儒家學派奉爲「聖人」，這時所稱的聖人，指的是聰敏明智的先哲，是與儒家學派尊奉的堯、舜、禹、湯、文、武、周公這些聖人同等的繼承者。但是，其他學派並不買這個賬，老莊學派就編造出孔子問禮於老聃的故事，有的還頗不恭敬地揶揄他。到漢代，孔子被塗上耀眼的油彩，地位被無限地拔高：他是神話中的人物，從誕生到行事都罩上神異的光圈，他是秉承天意降生救世的「超人」；他是「至聖先師」，道德明智的亙古第一人，地位獨尊；他是「素王」，天生孔子，雖然生前未登王位，卻以思想學說而行一統天下之實，對他的意旨必須遵從。《論語》的內容主要是孔子語錄，是聖人教誨的直接記錄，於是成爲必須學習和尊奉的聖經。

爲什麼只有一七八〇字的《孝經》也定爲「經」呢？

由於統治階級重視「孝道」，西漢提倡「以孝治天下」，從惠帝起，皇帝的謚號都加上一個「孝」字，如「孝惠帝」、「孝文帝」、「孝景帝」「孝武帝」……。所謂「孝道」，不是單純指尊敬和照顧父母，而是從屬於封建宗法思想體系的一種嚴峻的倫理觀念。「順爲孝」，「百善孝當先」，「孝」是最高的美德；「忤逆」則是最嚴重的惡行。「孝道」和「忠君」是一致的，在封建社會裡，人人要「邇之事父，遠之事君」（《論語．陽貨》），行「孝道」的人決不會犯上作亂。「孝道」利用人們血緣關係的親密情感，披著敬老奉親的溫情脈脈的面紗，培養封建制度溫馴的順民和忠實的奴才，以利於維護封建宗法制度、皇權世襲制度和統治集團內部的團結。所以東漢的封建統治階級把《孝經》定爲人人必須學習和遵從的經書，而且僞託它是孔子的作品。

❖唐代的九經

唐初儒、佛、道並用，各有各的用途，禮、政、刑、教則是儒家的世襲領地。唐太宗李世民在這些領域推行促進儒學發展的文化政策，唐初完成並頒布了《五經正義》，爲五經製作了標準的注釋和義疏；又以五經爲本，提出九經之名：《易》、《書》、《詩》、《儀禮》、《周禮》、《禮記》、《春秋左傳》、《春秋公羊傳》、《春秋穀梁傳》。所謂九經，只是把《禮》和《春秋》各擴充爲三。

《禮》原來只是《儀禮》十七篇，其內容基本上是記錄周代一些禮儀的程序和形式。從戰國到西漢，經過較長時期的收集和編寫，完成了以政治制度爲基本內容的《周禮》。東漢時，又把各種說明、解釋與研究禮制的學術論文匯編成《禮記》。唐代制《五經正義》，「禮」即取《禮記》。但《禮記》畢竟成於漢人之手，不能取代原來的《禮》經，《周禮》中的官制、政制，對於唐代禮、政、刑、教的建設也有借鑒作用，因此《儀禮》、《周禮》、《禮記》三者都作爲經書傳習。

《春秋》經文過於簡約，傳注必須作較多的補充和發揮，注釋疏解有相當的活動餘地，各家傳注便有很大的不同。從漢代傳下來的《春秋》傳，影響較大的有《左氏傳》（《左傳》）、《公羊傳》、《穀梁傳》三種。唐初的《五經正義》，選的是晋．杜預集解的《左傳》。可是，《春秋》三傳內容各有側重，記事與義理有較大出入，不宜偏廢。於是，採取立傳爲經的方式，改立《春秋》一經的三傳爲三經。

那麼，唐前期的九經，爲什麼不收漢代已立爲經的《論語》和《孝經》呢？

《論語》基本上是孔子的語錄集，它的地位隨孔子的地位而升沈。在唐代前期，唐太宗李世民樹立的神聖偶像是如來佛和太上老君，一方面向佛祖膜拜，一方面奉太上老君李耳爲玄元皇帝和李氏的始祖。當時正處「太平盛世」的大唐帝國，需要的是維持安定、繁榮的局面，以圖長治久安。這兩個偶像，一個教人逆來順受，修行來世；一個教人脫離現實，清靜無爲。所以孔子被相對地冷落了一段時間，《論語》也就不定爲人人必須誦讀的經書了。

《孝經》的內容是以提倡「孝道」來維護傳統宗法制，宗法制的核心是嫡長子世襲制。李世民殺掉哥哥，又逼迫父親讓位，而後登上寶座。他是封建宗法孝悌觀念的叛逆者。李世民死後，李治和李旦即位都不到一年，一直由武則天執政。她當了女皇帝，廢了太子，擾亂了父系制，更是封建宗法制的破壞者。她的政敵，一直用宗法正統觀念來攻擊她，甚至利用人們頭腦中潛存的這些意識，動員各種力量起兵「討逆」，她怎麼會提倡危及自已存在的理論呢?從李世民到武則天先後執政七十七年，他們都不提倡《孝經》。

❖開成十二石經

唐玄宗李隆基消滅了韋氏統治集團，李氏復辟，號稱中興。唐王朝經歷的危難，使封建統治階級進一步認識到「以孝治天下」對於穩定天下、鞏固政權的作用，所以《孝經》又被推崇。李隆基親自到太學宣講《孝經》，並爲之作傳注，倡導人人必須學習和力行。李隆基的《孝經注》傳布天下，後來由宋人收入《十三經注疏》，一直通行至今。

唐中期以後佛教風靡於世。佛家的出世思想，造成整個社會精神風貌的萎靡；而佛家的「無父無君」的思想，更促使封建君主專制政權的衰頹和封建倫理關係的破壞。比較起來，佛家思想對於維護封建統治，已是利少而弊多，而儒家學說旣是反佛的有力武器，又能夠振與政治，鞏固封建統治秩序，弊少而利多。於是，儒學又受到重視，重被作爲治國的理論基礎，孔子這位精神偶像也又受到特別的尊崇。李隆基即位後，採取調和儒、道的辦法，一方面自稱是玄元皇帝後裔，與佛教抗衡；一方面追封孔子爲「文宣王」，宣稱孔、老同世，源出於一。但儒道相比，道家思想體系內涵比較薄弱，禮、政、刑、教都尊孔子。孔子又成爲思想權威，《論語》也又成爲經。

唐初編撰《五經正義》，目的是統一五經的文字、訓詁和義疏，作爲國家考試和教學的標準本，以免傳習與解釋各異，無所依據。唐前期以五經爲本擴充到九經，中期擴充到十一經，新增的諸經，又產生了訓詁應求統一的問題。《爾雅》本是一部古代訓詁的匯編，對古代經典詞語較爲普遍地作了解釋，既然五經的「傳」（《春秋》三傳）、「記」（《禮記》）、「論」（《論語》）都已經立爲經，這部讀經傳所必需翻檢的辭書，正可以作爲諸經訓詁的共同依據而收統一之效，於是把它與那些成爲經書的「傳」、「記」、「論」列入同等的地位。

唐後期，文宗開成二年（西元八三七年），於長安國子監門前立石，刻十二經作爲士人傳習和考試的十二學科及其文字定本，稱**開成石經**。這十二經就是唐前期的九經加上上述三經，**它們的次第是：《易》、《書》、《詩》、《周禮》、《儀禮》、《禮記》、《春秋左傳》、《公羊**

傳》、《穀梁傳》、《論語》、《孝經》、《爾雅》。

❖宋十三經和四書五經

到宋代，原來的十二經，再加上《孟子》，便成為流傳至今的十三經。

早在唐代，被稱為儒學一代宗師的韓愈及其弟子李翱，積極捍衛儒家思想的正統地位，尊崇孟子是孔子的嫡派，鼓吹繼承從堯、舜到孔、孟的道統。宋代統治階級內部衝突十分激烈，孟子學說受到宋儒的推重，他們自稱繼承孔、孟和韓愈的「道統」，建立了程朱理學。

孟子學說有幾個主要的組成部分：它的仁義學說以民本思想為基礎，以重民、養民、保民為綱領，以「王道」為理想，提出了一套唯心主義歷史觀，包括以「君權天授」和「天視自我民視，天聽自我民聽」為特徵的天命論，「五百年必有王者興」的天才論，「勞心者治人，勞力者治於人」的合理論，為封建制度的「永存」提供了理論基礎。它創始的人性論（「性善論」）以及盡心、知性和「萬物皆備於我」的心性之學，極端誇大精神和意志的主觀能動作用，成為宋明理學家心、性、命、理之學的基礎。《孟子》一書還提出獨立人格思想，要求人們注重道德修養，把封建道德觀念凝聚為巨大精神力量，具有「富貴不能淫，貧賤不能移，威武不能屈」和「捨身取義」的「浩然之氣」，以天下為己任的自覺的歷史責任感，持節不屈，積極有爲，奮鬥不息。宋儒繼承和發揮孟子的這些理論原則，推崇孟子爲地位僅次於孔子的儒家的第二把手，《孟子》一書也就成爲人人必須誦習的重要經典，與原來的十二經合爲十三經。

南宋理學大師朱熹取《論語》、《孟子》，又取《禮記》中的〈大學〉、〈中庸〉兩篇，合稱「四書」，與「五經」相配，稱「四書五經」，作爲士人讀書的基礎讀本。他所以選取〈大學〉一篇，是繼承韓愈所提出的主張，以〈大學〉爲政治理論綱領，以「正心、誠意、修身、齊家、治國、平天下」爲人生理想。選取〈中庸〉一篇，是繼承李翺的主張，把它作爲審理事物、處理問題的哲學方法。朱熹把這兩篇文章抽出來與《論語》、《孟子》並舉，並爲之作章句注釋，顯然是特別推重的意思。在很長的歷史時期，四書五經作爲十三經的基礎部分流行。明代把經書合刊，直傳至今。

現在影印的清刻本《十三經注疏》，注疏本如下：

·《周易》 魏·王弼、韓康伯注，唐·孔穎達正義。

·《尚書》 舊題漢·孔安國傳，唐·孔穎達正義。

·《詩經》 漢·毛亨傳、鄭玄箋，唐·孔穎達正義。

·《周禮》漢·鄭玄注，唐·賈公彥疏。
·《儀禮》漢·鄭玄注，唐·賈公彥疏。
·《禮記》漢·鄭玄注，唐·孔穎達正義。
·《左傳》晉·杜預注，唐·孔穎達正義。
·《公羊傳》漢·何休注，唐·徐彥疏。
·《穀梁傳》晉·范寧注，唐·楊士勛疏。
·《論語》魏·何晏集解，宋·邢昺疏。
·《孝經》唐·玄宗注，宋·邢昺疏。
·《爾雅》晉·郭璞注，宋·邢昺疏。
·《孟子》漢·趙岐注，宋·孫奭疏。

從這些注疏本可以看出，它們是由《五經正義》，擴充到唐代九經本，再到宋代增補最後的四部注疏本完成現行的《十三經注疏》。最早的版本是宋光宗紹熙年間（西元一一九〇～一一九四年）三山黃唐合刻本，現在通行本是清·阮元主持校刻的善本，中華書局於一九七九年據原世界書局縮印本影印，影印前作了校勘。

十三經正文，去篇名計有六四七五〇〇多字，其中最長的是《左傳》，一九六〇〇〇餘字，其次是《禮記》，九九〇〇〇餘字，二者稱大經；《毛詩》、《周禮》、《儀禮》爲中經；《周易》、《尚書》、《公羊傳》、《穀梁傳》爲小經；最短的是《孝經》，只有一七八〇字。在《十三經注疏》中，所取《尚書》漢孔安國傳，經清人確鑿的考證，所取的是僞《古文尚書》，舊題孔安國傳是僞孔傳，正文和傳注都是晋人的僞作。雖然如此，這一部分也不是毫無價値，僞《古文尚書》中包括的《今文尚書》二十八篇是眞實的《尚書》，僞孔傳和賈疏也有參考價値，所以清人校勘重刻，並不予廢棄。

現在通行的四書五經，不全同於《十三經注疏》所取的傳注本：

- 《周易本義》 朱熹注。
- 《書經集注》 蔡沈注。
- 《詩集傳》 朱熹注。
- 《禮記集說》 陳澔注。
- 《春秋三傳》 集三傳舊解。
- 《大學章句集注》 朱熹注。
- 《中庸章句集注》 朱熹注。
- 《論語章句集注》 朱熹注。

·《孟子章句集注》朱熹注。

第四節 經學研究的範圍和對象

儒學和經學並非同一概念，但二者又有著極爲密切的聯繫，常常很難截然分開。

❖儒學和經學

儒學是一個寬泛的概念，泛指由孔子所創始，在戰國時期已經形成顯學，在長期舊社會中又不斷發展並具有最大影響的儒家學派的學說和學術。

傳說孔子弟子三千，通六藝者七十二人。孔子死後，他衆多的弟子和再傳弟子在社會上繼續傳習六經和孔子的思想學說，形成顯赫一時的儒家學派。戰國時儒分爲八，「有子張之儒，有子思之儒，有顏氏之儒，有孟氏之儒，有漆雕氏之儒，有仲良氏之儒，有孫氏之儒，有樂正氏之儒」（《韓非子．顯學》）；按：「孫氏之儒」即荀卿（荀況）一派。這八派中，聲望最著的是孟子、荀子兩派，孟子和荀子都對孔子的思想學說有所豐富和發展。孔子、孟子、荀子的學說，後世統稱爲先秦儒學，或稱原始儒學。西漢流傳的儒經，大多自荀子傳授下來。宋代以後，孟子被儒家奉爲僅次於孔子的神聖偶像。二千餘年的儒學，是以先秦儒學作爲它的基礎和內核。

西漢時期的「罷黜百家，獨尊儒術」，把儒學奉爲正統學說，傳播這一學說的儒家典籍被定爲「經」，從此興起了歷史長達兩千年的經學。經學的基本特徵是以封建國家所承認並頒行的五經及其他經典作爲依據，通過對它們進行的標準解釋，作爲封建主義的理論基礎和行爲準則，從而支配封建社會的思想文化領域。從西漢起，經學作爲儒學的一種主要的表現形式，曾經成爲各個時代儒家不同學派的學者用以闡明他們思想學說的學術陣地，他們結合自己時代的要求，通過對諸經的闡釋，提出治世的方策。

從本質上說，經學是爲封建主義及其專制制度服務的上層建築。但是，事物內部又包含著自己的對立的因素，這種對立的因素在先秦儒學內部即已經明顯地存在。當激烈的社會矛盾推動社會改革，當由於內部的或外部的原因，使封建的政治統治或思想統治面臨危機，某些進步的思想家曾經與專制主義相對，不同程度地宣傳了民主思想和民本思想；曾經與讖緯神學和唯心論相對，不同程度地宣傳了唯物論的進化論和無神論。這種情況，在後期封建社會內憂外患，民族瀕臨危亡之時，爲救亡圖存，表現得尤爲明顯。這些思想家或注經，或釋經，利用了經學的形式，但是其內容已經突破了傳統經學的標準解釋，越出封建王朝固定的樊籬。例如，明末清初思想家顧炎武、黃宗羲、王夫之，都曾治經，都通過注經釋經的形式呼籲社會改革，抨擊專制。顧、王的書有些也被收入《清經解》正續編，其中包括顧氏的力作《日知錄》，都是被當作經學著述的。其實，它的體例和內容與一般經學著述並不相同，在儒學中也是少見的進步著作。像這類著作，我們很難把儒學和經學分辨開來。歷史上的許多儒學學派都和經學密切聯繫，而許多經學學派也就是儒學學派。

由此而論，儒學泛指在中國學術史上有重大影響的儒家一切學說和學術，它起始於春秋末期的孔子，由戰國儒家的思孟學派、荀子學派等發展和延續，進入西漢以後，又包含了經學。經學，即研究儒家經書，爲諸經作訓詁和闡發經中義理之學。它起始於西漢時代，到清末，由於封建社會的衰亡，封建國家不復存在，從而喪失了由國家頒行這些儒家經典作爲理論根據和行爲準則的社會條件，因而封建經學也已經衰亡。現在，我們仍然對儒家這些經典進行研究，是在新的基礎上以新的目的進行的傳統文化的研究，與封建經學在本質上已經完全不同了。

雖然如此，傳統的經學作爲一門學術，迄今已有兩千餘年的歷史，在漫長的發展過程中，它的內容也很豐富，大致來分別，有訓詁之學、義理之學和考據之學，每門類又包含若干小門類，積累了大批學術資料和思想資料，有其不可忽視的價值。玆分述之。

❖訓詁之學

經學是以儒家的五部經典爲基礎的。《易》、《書》、《詩》、《禮》、《春秋》五經都是先秦舊籍，文字簡約。從戰國到西漢，語言文字經歷了幾次重大變化，到漢代已經很少有人能夠讀懂。從字體來說，先秦先是大篆（籀文），後是小篆，漢是隸書（魏晋後又盛行楷書）。從語音來說，許多字的讀音變化。從詞彙來說，一部分詞彙隨著社會生活的進程而衰亡，更多的新詞產生，也有的詞義發生了變化；而且先秦典籍中普遍出現假借字，這有時是書寫的原因，有時是當時文字詞語不足，大量假借字造成領會經義的困難，字句不通，文義難明。爲了對這些經書的字句文義作解釋，產生了諸經的「傳」、「注」、「箋」、「疏」、「集解」、「正義」、「章句」等等不同體例的著述。

「傳」、「注」、「箋」、「疏」、「集解」、「正義」、「章句」等名稱不同，都是注釋的意思，但在不同的使用情況下，各有特定的含義。

「傳」：是傳述的意思，即解釋經文，闡明經義。它有三種基本形式：

一種是依隨經文逐字逐句解釋，如毛亨《毛詩故訓傳》。

二是闡明經典中的所謂「微言大義」（簡約精微的語言含蘊深奧的道理），如《春秋公羊傳》、《春秋穀梁傳》。

三是對經典中的紀事進行補充和描述，如《春秋左氏傳》。

「注」：是對經文中難解的字、句加以解釋、疏通，如魏．王弼、韓康伯《周易注》，漢．鄭玄《周禮注》、《儀禮注》、《禮記注》，漢．趙岐《孟子注》。

「箋」：是引申、發揮，或補充、訂正前人的傳注。如鄭玄以《毛詩故訓傳》爲本，一方面對其簡略、隱約之處加以補充和闡明，一方面又把不同的解釋提出來，而不與《毛傳》相雜，稱爲「鄭箋」。

「疏」：是魏晋以後出現的「義疏體」。它的特點是依據一家之說，對經文逐字逐句、逐章串講，好像講義式的講疏，如皇侃的《論語義疏》。到了唐代，不但先秦文獻深奥難懂，連漢人傳注也不易明了，不但需要解釋正文，還需要給前人的傳注再作注解，如賈公彥疏鄭玄注《周禮》、《儀禮》，徐彥疏何休注《春秋公羊傳》。

「正義」：唐初「經學多門，章句繁雜」，各家傳注歧義紛繁，教學與考試都無依傍，於是貞觀年間孔穎達等奉敕全面整理五經義疏，名爲「正義」。「正義」的方法是每經只採一家注解爲主，撰述義疏採取「疏不破注」的原則，不雜他家之說，作爲標準本，名《五經正義》。

「**集解**」：這種體例興起於魏晉，特點是薈萃衆說，不主一家之言，把諸家可取的解釋，連其姓名一一列出，對不妥的解釋加以指正，意在取諸家之長而自成一書，如魏．何晏《論語集解》、范寧《穀梁集解》。

「**章句**」：這種體例，除了釋詞，還重在解釋句、段、篇、章大意，如漢．趙岐《孟子章句》，除注詞釋句，每章之後都有「章指」，即通釋全章正文的大意。

上述幾種體例，有時很難截然區別，總的都可稱爲「訓詁」。「訓詁」一詞，源於《毛詩故訓傳》，「故」通「詁」。《毛詩正義．周南．關雎疏》解釋「詁」、「訓」二字的不同涵義：「詁者，古也。古今異言，通之使人知也。訓者，道也。道物之形貌以告人也。」簡單地說，「詁」就是用今語釋古語，用通行語釋方言；「訓」就是對文獻語言的具體含義作形象的描述或說明，不僅釋詞，而且疏通文義，並解釋語法、修辭和句、段、篇、章。後來，「詁訓」說成了「訓詁」，而且不再分開，成爲語義學的專有名詞，又形成整理研究古籍的一種專門學問。

對經書的「訓詁」越來越要求確切有據，因而必須對字形、字音、字義進行深入的科學研究，於是發展了文字、音韻、訓詁之學，俗稱「小學」；經宋、明到淸代乾嘉學派，產生了大量著述，達到興盛的頂峯。當然，「小學」著作不全是經學，但它開始是從注經產生並發展起來的，在經學著述中歷來列有「小學」一類。《四庫全書總目》收清初以前的經部著述，其中「小學」類二一八部，二一二三卷。

這些訓詁著述具有一定的價值：

首先，使我們能夠讀懂古籍，如果沒有歷代的訓詁，這些古老的文獻，只不過是一串串難於辨義的文字符號。

其次，爲我國語言學、文獻學、考古學、歷史學提供了重要的研究資料。

所以，它們是我國文化遺產中的一份財富。

❖義理之學

五經是上古典籍，中國封建社會不同時期的代表人物，都按照自己的政治觀點和哲學觀點，通過分析和陳述五經的內容，發揮自己的思想見解。五經文字簡約，有補充和發揮的較大的餘地，於是發展了所謂「義理之學」。

義理之學有兩種形式：

一是在傳、注、義疏之中，通過注釋或串講，隨文依義地進行發揮和闡述。

一是並不依隨經文，而是根據自己的思想見解撰寫論文，或闡明自己的心得，或評述諸經內容，或專題提出某種哲學的、社會的和政治的主張。

這些論文大多採用「義」、「記」、「論」、「說」等等名目。

「義」：就是闡明經文中某一部分的意義。如收進《禮記》中的〈冠義〉、〈昏義〉、〈鄉飲酒義〉、〈射義〉、〈燕義〉等文章，就是分別說明《儀禮》經中的〈冠禮〉、〈昏禮〉、〈鄉飲酒禮〉、〈鄉射禮〉、〈燕禮〉各篇的意義。在《儀禮》中，這些篇章記載了舉行這些禮儀的具體儀式和過程，這些文章則從理論上說明這些禮儀的意義。

「記」：是對經文中某一問題進行解釋、說明和補充。例如《禮記》中的〈喪服小記〉、〈喪大記〉、〈雜記〉，專記喪服喪事；〈坊記〉、〈表記〉，專記孔子言論。用「記」的形式也可以寫結構完整的學術論文，如〈學記〉是闡述教育問題的專論，〈樂記〉是闡述音樂問題的專論。收進《禮記》的有四十九篇文章，內容和形式有所不同，但都可以成爲獨立的論文。

「論」：就是分析和說明某一事理。唐代有徐勳著的《周易新論》、《春秋折衷論》，宋代有程大昌著的《禹貢論》、呂大圭著的《春秋五論》等等。漢代桓譚著《新論》、王充著《論衡》，都撇開經義，發揮自己的哲學思想和政治思想，已經突破了經學圈子。

「說」：在經學著述中比較普遍，如「詩說」、「易說」、「指說」等等，大多是在前人的傳注、義疏之外，又表達新的見解，提出自己的一家之言。

除了這幾個名目，還有所謂「制」、「解」、「問」等，而所有這些名目，都很難截然分清，把它們理解爲形式略有不同的專論就可以。不論是通過傳注隨文依義的發揮，還是撰寫專題論文，它們所闡發的義理，有三個明顯的特點：

第一個特點，它們是封建社會的上層建築，反映封建統治階級的意識形態，爲統治階級的政治服務。《春秋》首句中的「大一統」，在原著中本來只是統一曆法的意思，西漢今文學派爲適應建立中央集權的封建帝國的政治需要，大作文章，把它作爲政治統一的理論根據。今文學大師董仲舒，爲加强皇權，鞏固封建專制制度，寫《春秋繁露》，創始「公羊學」，講天人感應、君權神授、陰陽災異。宋學反漢學，因爲他們已進入後期封建社會，强調三綱五常，以求維護封建統治秩序。這些思想都被當時的統治集團規定爲官方哲學，成爲社會的統治思想。經學的這一部分被官方推重的「義理之學」，也是糟粕最多的。

第二個特點，經學有不同學派，不同學派有不同的思想，曾經長期進行各家各派的義理之爭。從縱向來看，社會進入新的發展階段，反映這個時代政治要求的新學派，反對舊學派所代表的落後的過時的思想體系，所以宋學反漢學，清代新漢學又反宋學。這不是簡單的歷史循環，而是有時代新內容的思想發展。從橫向來看，每個時期也都存在著不同學派的思想鬥爭。如漢代的今文學派宣揚讖緯神學，古文學派就批判讖緯神學的荒誕，便出現了王充這樣的哲學家。在各派的思想發展中，常常會反映出某些進步的、正確的觀點，包含著有價值的思想資料。

第三個特點，經學是在與各種「異端」思想的競爭中發展的，而同時它又不斷吸收和融匯外部的學說。在中國思想史上，從先秦時期起，各家學說有衝突，又有融合。以經學而論，董仲舒創始西漢今文學，就有孟子學說與陰陽五行學的融合。魏晉時期玄學思潮是主流，儒家一方面批評老莊的玄虛和脫離現實，堅持經世致用，一方面又吸取了玄學大師王弼所注的《周易》和何晏所注的《論語集解》。王弼完全拋開漢儒的「象數」，而取老、莊的玄理說《易》，彌補了儒學中所缺少的哲學部分。唐、宋儒學學者對風靡社會的佛教思想進行了有益的批判，那些深刻的反佛教思想，至今仍是有力的，但他們也吸收了佛家禪宗的某些思想，成爲宋明理學的構成因素。

一部經學史，是儒學內部學派以及與外部學說互相衝突和互相影響的歷史，我們可以從中看到中國思想發展史的許多重要思想資料，得到一些正確的、有價值的東西，作爲歷史的借鑒。

❖考據之學

對經學的研究日益深入，考據、辨僞、校勘、輯佚等學術都發展起來。閱讀經傳，常常會遇到一些已屬於歷史的名詞，不知它們究竟是什麼東西；也經常會遇到古代的典章制度、人名、地名或史實方面的問題。這些問題不弄清楚，往往影響對文獻的正確領會。例如，孟子主張的井田制，是否在上古實行過及其具體形態如何，就是一個重要的問題。弄清這類問題，需要查證大量文獻資料或文物資料，以確鑿的證據予以說明，這就是考據學，又稱考證學。

辨僞：就是研究經傳等典籍所標榜的寫作年代、作者及內容是否眞實。古人「好古」、「迷古」成爲風尚，著作時常託古；又好盜用古人的名義，假託周公、孔子，甚至假託伏羲所作，用古人的亡靈擡高典籍的權威性來欺世惑衆。例如：《易卦》託名伏羲畫，《周禮》托名周公作，《孝經》託名孔子作，都不是事實。《十三經注疏》中的《尚書》及舊題孔安國傳，經過明、清幾代學者辨別，用大量確鑿的證據，證明它不是漢代所發現的古文《尚書》和眞正的「孔傳」，而是東晉人欺世盜名的僞作。這一項辨僞的成績，就打倒了一部千年尊崇的聖經！古籍文獻如果時代混沌、眞僞難分，就不能作爲可靠的研究材料。辨僞就是鑒別材料的眞僞，爲科學研究提供眞實的材料。

校勘：也叫「校讎」。經傳古籍流傳久遠，由於字體演變，簡牘鈔刻，文句難免發生訛誤；簡冊保存久了，串簡的繩子一斷，又會發生錯簡或脫漏。所以，讀經傳古籍，要挑選文字錯誤較少的善本。許多學者收集各種版本，比較異同，選擇一個較好的底本，根據該書的內容、體例、文字、語法原則，參照諸本逐字逐句細心勘校，改正訛錯，補充缺漏、訂正順序，整理出一個比較完善的本子，以免以訛傳訛。乾嘉學派許多考據學者及近代的陳垣等學者，都是校勘專家。

輯佚：是搜輯亡書。有些古書，在文獻裡只有書名，原書失傳，而我們在研究工作中有時又需要參考它們，怎麼辦呢？這些書雖然原書亡佚，可是往往在類書或其他古籍中有引用的篇章、片斷或片言隻語。把這些篇章、片斷或片言隻語細心搜集，就可以使這本書全部或部分恢復。《四庫全書》中的有些古書，就是從明代大型類書《永樂大典》裡完整地輯錄出來的，從而保存了這些古籍。漢代《詩》有四家，後來《毛詩》獨傳，三家亡佚，從宋代開始，經過幾代人搜輯，到清代陳喬樅《三家詩遺說考》和王先謙《三家義集疏》集搜輯之大成，雖然仍不是三家詩全貌，也可以對三家詩有基本的了解，爲我們研究《詩經》學提供了重要材料。清代輯佚工作成績最大，凡是從古書中能夠搜輯到的，基本上都已經搜輯。

考證、辨僞、校勘、輯佚，可以統稱爲考據之學。當然，不僅經學，史學和諸子之學也都有考據之學，不過，關於諸經的考證、辨僞、校勘、輯佚的著述，歷代的叢書和古典目錄學家，都把它們歸在「經部」之內，對這一部分，我們也可以把它們作爲經學的分支。

考據之學在整個科學研究中是不可缺少的，它們爲科學研究準備和提供眞實可靠的材料。我們承認考證的每一個發現，每一部古籍作者與時代眞僞的辨識，每一種善本的校勘和完成，每一種佚書的搜輯，都經過艱苦的科學研究，因而我們尊重前人的勞動，承認它們的價值，利用這些成果。但是，科學研究的目的，是通過對大量確鑿的事實和材料的分析，認識事物的本質和規律，並拿這種對於事物規律性的認識去改造世界。因此，考據之學又畢竟只是整個科學研究的一部分，屬於史料學範疇，爲高層次的研究作準備工作。所以，我們既承認考據之學的重要作用，又不能把它們看作科學研究的終結，反對爲考據而考據，反對脫離實際的煩瑣哲學。

❖經學叢書

研究經學應該讀哪些經學原著，怎樣找到這些書？歷代經學著述極爲豐富，前人已經有重點地編選了幾套叢書。

《**十三經注疏**》是自宋代以來通行最久、影響廣泛的經學基本叢書，選《周易》（魏・王弼等注，唐・孔穎達正義）、《尚書》（舊題漢・孔安國傳，孔正義，本書是僞《古文尚書》、僞孔傳）、《詩經》（漢・毛亨傳，鄭玄箋，孔正義）、《周禮》（漢・鄭玄注，唐・賈公彥疏）、《儀禮》（同上）、《禮記》（鄭注，孔正義）、《左傳》（晉・杜預注，孔正義）、《公羊傳》（漢・何休注，唐・徐彥疏）、《穀梁傳》（晉・范寧注，唐・楊士勛疏）、《論語》（魏・何晏集解，宋・刑昺疏）、《孝經》（唐玄宗注，刑疏）、《爾雅》（晉・郭璞注，刑疏）、《孟子》（漢・趙岐注，宋・孫奭疏）。最早的版本是宋光宗紹熙年間（西元一一九〇～一一九四年）三山黃唐合刊本，現在通行本是淸・阮元主持校刻的善本。

《**四書五經**》是把宋・朱熹編選注解的「四書」（《大學章句集注》、《中庸章句集注》、《論語章句集注》、《孟子章句集注》）與「五經」合編：《周易本義》（朱熹注）、《書經集注》（蔡沈注）、《詩經集傳》（朱熹注）、《禮記集說》（陳澔注）、《春秋三傳》。這套書自元明以來長期流傳，影響廣泛，是士人讀經的基礎讀本，它包括了十三經的核心部分，比十三經內容簡約，注釋較易明了，所取注疏與《十三經注疏》有所不同。

上述兩種叢書只是經學的基本讀本，深入研究則要選讀其他的重要著述，利用以下的大型叢書。

《四庫全書》是清代前期編纂的規模巨大的叢書，其中共著錄「經部」書籍一七七三部二〇四二七卷，基本上包括了清初乾隆以前，即十八世紀初葉以前重要的經學著述。利用這部叢書時，可根據個人的研究方向，分類檢索自己需要的書籍，共分十類：《易》類四八四部、四一四一卷（包括附錄和存目，下同），《書》類一三七部一〇九六卷，《詩》類一四七部一八六四卷，《禮》類二二三部三七一九卷，《春秋》類二三三部三四三一卷，《孝經》類三九部七〇卷，《五經總義》類七五部九六〇卷，《四書》類一六三部二〇七〇卷，《樂》類六四部七七四卷，《小學》類二一八部二一二三卷。《四庫全書總目》對著錄的書籍均寫有序錄，說明該書的時代、作者、版本流傳及校勘情況，並撰有內容提要和原著得失評述，文字簡明扼要，內容有一定的學術價值。

《通志堂經解》，又名《九經解》、《傳是樓經解》，爲清初納蘭性德和徐乾學於十七世紀後期刊刻，收比較罕見的唐、宋、元、明經解著作一三九種一七八一卷，其中以宋、元傳本的搜集較爲著稱。

《皇清經解》（簡稱《清經解》）正續編，正編一名《學海堂經解》，爲清道光年間阮元（西元一七六四～一八四九年）匯刊，收清代學者經學著述一八八種一四〇八卷，以匯集乾嘉學派考據學著作爲主。續編爲光緒年間王先謙（西元一八四二～一九一七年）匯刊，補正編遺漏，又匯集乾、嘉以後迄近代的經學著述共二〇九部一四三〇卷。正續兩編共收三九七種二八三八卷，可說是集清代經學著述之大成。

上述幾種叢書，基本上匯集了歷代比較重要的經學著述。新近編纂出版的《中國叢書綜錄》分類著錄了各種叢書所收書籍的書名及作者，檢索這部《綜錄》，就能知道每部叢書都有哪些書、何人所著，或者你所需要的書收進哪部叢書，按圖索驥，可以順利地得到。

清代朱彝尊撰《經義考》，是考證經籍的比較完備的目錄學著作，全書三百卷，初名《經義存亡考》。這部書，把歷代經學著述按經分類編目，每一書目之前，列撰述人姓氏、書名、卷數，次則說明該書或存、或闕、或佚、或未見，並附原書序跋、諸家評論以及朱氏本人所作考證的按語。其後，翁方綱等撰《經義考補正》十二卷，補本書的略漏訛誤。《經義考》對研究經學很有用處。如果研究各個時代經學著述的情況，可以閱讀各部正史的〈藝文志〉和〈經籍志〉，其中以《漢書・藝文志》和《隋書・經籍志》的學術價值較高。

近代經學研究的主要著作，有今文學家皮錫瑞的《經學歷史》和《經學通論》，古文學家劉師培有《經學教科書》。（皮著已由中華書局重行排印，分別於一九五九年、一九五四年出版。劉著有一九二六年商務印書館本。）這幾部著作蒐集了不少材料，但觀點已陳舊。

現當代學者評介經學的著作不多，在大陸比較有影響的有蔣伯潛《十三經概論》（一九八三年上海古籍出版社據世界書局一九四四年本重印），范文瀾《羣經概論》（一九二八年樸社本）、《經學講演錄》和《中國經學的演變》（收一九七九社科版《范文瀾歷史論文選集》），《周予同經學史論著選集》（一九八三年上海人民版）則收進了周氏二十年代至七十年代的經學論著。這些著作有較新的觀點，而且側重於對經學的評介，可以作為學習與研究經學的入門讀物。

第五節 經學主要流派的發展——漢學系各派

封建社會的經學，按時代劃分，可以分爲三個大的體系：漢學（漢至唐）、宋學（宋至明）、新漢學（清）。每個體系都有幾百年興盛時期，在它們的發展過程中，各個體系又包含不同的學派，有不同的學術思想，有它們對中國文化的貢獻。

在中國經學史上，以西漢到唐代，共延續一千一百餘年，屬於漢學系時期。在這個較長的歷史時期，隨著社會政治的發展，漢學系內部先後展開兩漢時代的今文學與古文學之爭，魏晉時代的鄭學與王學之爭，南北朝時代的南學與北學之爭，到唐代完成漢學的統一。

❖漢代今文學與古文學之爭

秦代的「焚書坑儒」政策曾給予儒學以沈重的打擊，然而意識形態的文化是任何暴君的刀與火所不能滅絕的。儒學中的荀子學派沒有受到最嚴厲的打擊，孟子學派也未被殺絕，他們在社會上仍有潛在的影響，艱難地在民間保存著他們的「經書」。西漢初期，惠帝時（西元前一九四～前一八八年）廢「挾書律」。書禁一開，「百家之書輒出」，儒學流傳又取得合法地位。文、景之世（西元前一七九～前一四一年），朝廷廣開獻書之路，搜求舊典，發掘古籍，始設博士。據《漢書》：文帝使晁錯從伏生受《尚書》（〈晁錯傳〉），使博士作《王制》（〈郊祀志〉），又置《論語》、《孝經》、《爾雅》、《孟子》博士（趙岐《孟子題辭》），使韓嬰為《詩》博士；景帝時，轅固生為齊《詩》博士，董仲舒、胡毋生為《春秋》博士（均見《漢書》本傳）④。在西漢初期，儒學開始受到重視。

雄才大略的漢武帝（西元前一四〇～前八七年）為鞏固統一的中央集權制的封建國家，採納董仲舒（西元前一九七～一〇四年）建議，確立了「罷黜百家，獨尊儒術」的文化政策。《漢書．儒林傳》說：「自武帝立五經博士，開弟子員，設科射策，勸以官祿，迄於元始，百有餘年，傳世者寖盛，枝葉藩滋。」把儒家學派的典籍由國家正式定為「經」，規定爲教學的科目，並根據學習成績選拔官吏，是從西漢武帝時代開始的；於是儒家學派成爲被尊崇的官方學派，儒學變成了經學，成爲封建社會的統治思想。《漢書．藝文志》說：當時「建藏書之策，置寫書之官」，即設置收集、整理、書寫圖書的專門機構，配備專職人員進行工作。當時整理的寫本，爲了傳授的便利，都用漢代通行的文字——隸書書寫，稱爲今文經。

漢武帝設置五經博士（原來只有八家：《詩》博士爲魯、齊、韓三家，《書》博士爲歐陽生，《易》博士爲田何氏，《禮》博士爲后蒼氏，《春秋》博士爲董仲舒、胡毋生），而在五經中最受重視的卻是《春秋公羊傳》。西漢儒學大師董仲舒治《公羊》學，他在孔子「春秋大一統」思想的基礎上，把儒學與陰陽五行學相結合，把儒家仁義學說與黃老刑名之學相結合，完成了對先秦儒學巨大的加工和改造，創始了西漢今文經學。這個思想體系以「大一統」和「君權神授」爲中心，貫穿著仁義學說和禮樂和合思想。西漢的尊儒，從本質上說是尊崇董仲舒的《公羊》學，要求把它的基本思想貫串於各經的解說。

在當時，某一經的大師能夠對本經的解說適合專制統治者的要求，便可以立爲博士（類似近代的教授或顧問），或委任朝廷和地方的要職。因爲這是一條利祿之道，所以趨者若鶩。諺語說：「遺子黃金滿籯，不如一經。」⑤於是今文經學的思想體系滲透諸經經傳。今文經學興盛一百餘年，是西漢的官方哲學。漢人重家法，今文經學各家傳授不同，同一經書的文句和解說互有差異，後來立了十四博士：《易》博士三：施氏（施讎）、孟氏（孟喜）、梁丘氏（梁丘賀），《書》博士三：歐陽生、大夏侯（夏侯勝）、小夏侯（夏侯建），《詩》博士三：魯詩、齊詩、韓詩，《禮》博士三：大戴（戴德）、小戴（戴聖）、慶氏（慶普），《春秋》博士二：顏安樂、嚴彭祖。這十四博士是西漢今文經學的代表，所以西漢今文經學又稱十四博士之學。

古文經學起於西漢後期。西漢歷代統治者都廣開獻書之路，各方搜求古書，皇宮「祕府」（國家圖書館）「百年之間，書植如山」⑥。河間獻王劉德和孔子後裔孔安國先後獻上據說是從孔子故宅夾壁中發現的先秦經卷，劉向（西元前七七~前八年）、劉歆（約西元前五三~西元二三年）父子整校祕府圖書也發現一部分先秦經卷。這些經卷都是用先秦通行的小篆文書寫，所以稱爲古文經。

古文經和今文經不只是書寫的文字和讀法不同，文字訓詁和內容解釋也有很大的不同。古文經學者攻擊今文經經文和訓釋的訛誤，今文經學者攻擊古文經是「僞造」，形成兩個對立的學派，進行長期的激烈鬥爭。這場鬥爭大體上分爲前後兩個階段：從西漢後期到東漢中葉以前是前一個階段，今文經是居於統治地位的官學，古文經是私學，但它在民間的影響不斷增長；東漢中葉以後是後一個階段，古文經學壓倒今文經學，古文經學興盛，而今文經學衰落。所以有這樣的變化，有政治方面的原因，也有學術方面的原因。

如前所述，西漢統治階級尊崇今文經學的封建專制主義的政治理論，以及以「君權神授」為中心的讖緯神學。古文經學卻較多地保存先秦儒學的內容，它贊頌西周政治理想而表現出復古傾向，很少神學迷信成分，不完全適合統治階級的政治需要。所以，劉歆等建議把古文經《左傳》、《毛詩》、古文《尚書》、《周禮》列為學官，受到今文經學派的激烈反對，而不被統治者採納。王莽（西元前四五～西元二三年）篡權，借《周禮》託古改制（西元八～二三年在位），立古文經五博士。王莽倒台後，古文經的官學地位又被取消。從西漢末年到東漢不斷爆發農民暴動，雖然劉秀（西元前六～西元五七年）曾利用讖緯神學建立了東漢的新政權，而面對日益尖銳的社會矛盾，不能不適當地採取一些緩和矛盾的措施，以釋放奴婢、賑濟貧民等手段來解決緊迫的社會問題。這樣，也就有必要收攬和利用古文經學派，所以古文經學漸受重視。與此相反，今文經學以讖緯神學為其思想基礎，專制統治者可以利用它宣布自己「受命於天」，但是任何人都可以任意編造來利用。後來的黃巾農民暴動就是明證，因而今文經學失去了政治上的支持。

在學術方面，今文經學在二百多年的發展過程中突出了兩個特點：

一是神學化，陰陽五行學與讖緯相結合，妄誕的迷信成分日益增多，在學術上越來越站不住腳，爲有識之士所不取。

二是煩瑣化，今文經師爲了博取利祿，迎合上意，炫耀才華，解釋經文無休止地比附引申，如釋《尚書》首句「曰若稽古」四個字，用了三萬字；一部齊《詩》多至百萬言，支離蔓衍，大搞煩瑣哲學。《漢書・藝文志》說當時讀書費勁：「幼童守一藝，白首而後能言。」他們一輩子念一本經，又全是些無用的東西，後來連幾代封建皇帝也厭惡今文經學煩瑣，下令「正經義」、「省章句」，可是今文經博士只會記誦章句，不會概括大義⑦。

東漢錄用官吏實行徵辟，取利祿用不著再讀今文經，這些無用而又難學的東西，也就很少有人願意學習，它無可挽救地沒落下去。相反，古文經學的特點是「通訓詁，明大義」，簡明易學，內容也比較充實、豐富，產生了一些有卓越成就的著名學者，對中國文化的發展作出重要的貢獻。

首先是王充（西元二七～約七九年），他以樸素的觀點，有力地批判了今文經學的思想基礎——讖緯神學。

古文經學派的文字學大師許愼（西元約五八～一四七年），著《說文解字》。他收集西周籀文、戰國小篆、古文共九三五三字，一一解說它們的形、音、義，從而把古文經學的訓詁，建立在比較堅實的基礎上，促進了古文經學的完全成熟。古文經學派還出現了一些古文今文博通的大師，如鄭衆、衞宏、賈逵、馬融等，都名震一時，有著述傳世⑧。東漢古文經學的最後一位大師是鄭玄（西元一二七～二〇〇年）。他集漢代古文經學之大成，又兼通今文經學，以畢生精力，在考訂訓詁的基礎上爲《易》、《書》、毛《詩》、《周禮》、《儀禮》、《禮記》、《論語》、《孝經》、《尚書大傳》等羣經作箋注。他的箋注，打破兩漢以來的師法、家法，以古文經學爲本，而兼採今文經學一部分可取的內容雜揉進來，實現了今文、古文經學的合流，自成一家之言，稱爲鄭學。東漢以後，鄭學爲天下的崇學，結束了兩漢今文經學與古文經學的鬥爭。

今文經學派與古文經學派爭奪學術思想統治權的長期鬥爭，始終與政治運動密切聯繫，也與它們本身的學術成就相聯繫。作爲歷史的文化過程，對古代文化的發展作出一定的貢獻。以讖緯神學爲基礎的今文經學，糟粕是比較多的，而成爲其主體的《公羊》學，兩千年來，對歷代託古改制的改革派曾起著積極的影響。流傳後世的今文《尚書》、《儀禮》、《禮記》、《公羊傳》、《穀梁傳》、《韓詩外傳》等，都是今文經傳，具有歷史資料和思想資料的價值。古文經學的綱常禮教是害人的，而它較多地保存了孔孟的先秦儒學，其中比較優秀的思想成分，曾經激勵許多仁人志士義不顧身地追求封建社會開明的政治理想。流傳後世的《左傳》、毛《詩》、《周禮》，都是極有價值的歷史文獻。古文經學「通訓詁，明大義」的基本原則，對古文獻的整理和流傳起了不可磨滅的作用；它對經傳文字、音讀、訓詁進行浩大的科學研究，爲漢民族的語言文字學奠定了良好的基礎。

❖魏晉的鄭學與王學之爭

從漢末開始，中國進入幾百年分裂動亂時期。舊的封建秩序遭到破壞，以封建政治倫理觀念爲主要內容的儒學，失去政治和學術思想的統治地位。魏晋時代玄學興起，淸談玄理爲一代學風。南北朝佛教盛行，統治階級提倡講譯佛經。經學進入衰落時期。不過，儒學在文化傳統上有深刻影響，仍爲統治階級的政治和教育所需要，因爲如果只是談玄講禪，封建國家機器便不能運轉，所以統治階級政權認爲經學還是不可缺少的。

在魏代，鄭學爲天下所宗。統治者最重視鄭注三《禮》，目的是以其爲本建立魏王朝的國家制度，並在大動亂之後恢復封建社會的統治秩序。在皇帝的親自提倡下，鄭玄學派在鄭注經傳的基礎上，繼續融合古文經學和今文經學之長，充實發展諸經義疏。魏代是鄭學興盛發展的時代。

原來古文學派大師馬融的後學王肅（西元一九五～二五六年）是魏時的經學家，他攻擊鄭學破壞了古文經學的家法，而標榜純古文經學。他排斥鄭注經傳，而依據馬融的經說爲古文經重作注解。王肅羅致了一批學者，形成王肅學派，王學與鄭學進行長期論爭。由魏入晋，王肅成爲皇親國戚，他是晋武帝的外祖父，政治地位上升，憑借外戚的顯赫權勢，王學壓倒鄭學取得勝利。西晋是王學得勢的時代。王學在與鄭學的論爭中採取了卑劣的手段。王肅標榜純古文學，但在論爭時，凡鄭學採古文經說的，他依今文經說來反駁，凡鄭學採今文經說的，他依古文經說來反駁。爲了盜用孔子的名義，他「扯虎皮爲大旗」，僞造《孔子家語》、《孔叢子》二書，而且僞造了孔安國《尚書傳》、《論語注》、《孝經注》以互相證明，假託孔子之言，攻擊鄭學不合孔子之教。爲了建立自己學派的統治地位，他還利用政治權力排斥鄭學經傳，推行王學經傳，樹立學術霸權。

鄭學與王學之爭進行了一百多年。其中，僞古文《尚書》與孔傳，是鄭、王兩派爭奪的重點。鄭學的特點是博采今文、古文衆說，充實和提高經傳義疏；王學的特點是在理論上堅守已經落後的純古文家法，表現出明顯的抱殘守闕的保守傾向。王肅學派寫了不少著作，但後來全部消滅，我們現在只能從《隋書．經籍志》和輯佚書中約略地看到它們的眉目。這說明：那些依靠權勢推行的東西，只能流行一時，一旦失去政治靠山，它們的生命也就終止了。至於鄭玄的箋注，它在學術價值上確實超過王學，雖然受壓制和攻擊，在東晋時又恢復其影響，並流傳後世，成爲天下通行的傳本。

鄭學所表現的博采衆說、自由研究的學風，對經學的發展起著推動的作用。魏晉時代興起的玄學盛行，玄學的影響在這時開始滲入到經學中來。玄學大師王弼作《周易注》，他完全拋開漢人的「象數」，而取老、莊的玄理說《易》。另一玄學大師何晏（西元一九〇～二七九年）著《論語集解》，杜預（西元二二二～二八四年）作《春秋左傳集解》，范寧作《穀梁傳集解》和《尚書集解》，都比鄭玄博採今古文又前進一大步。他們從儒學外部吸取思想資料，把玄學溶解到經學之中，以經學爲本體，而吸取外來的成分作爲補充，從而使經學不斷發展。

❖南北朝的南學與北學之爭

南北朝時期，漢族在南朝建立政權，漢族文化中心移到南朝，北朝爲少數民族政權統治。這個時期的經學，主要是南學與北學之爭。

《北史．儒林傳．序》對南學、北學流傳的經傳作如下記載：

> 江左，《周易》則王輔嗣，《尚書》則孔安國，《左傳》則杜元凱；河、洛，《左傳》則服子慎，《尚書》、《周易》則鄭康成；《詩》則並主毛公，《禮》則同遵鄭氏。

江左，指南朝，傳習王弼的《易》、杜預的《左傳》、孔安國的《尚書》，是繼續魏晉時期融合了玄學的新的經學。《隋書．儒林傳》概括它的特點是：「南學約簡，得其英華」，指它繼承前人開展自由研究的學風，堅持訓詁簡明，注重闡發義旨，不墨守一家一派，既有取於鄭學，也有取於王學，並兼采玄學。

河、洛，指北朝，傳習經傳，除服虔的《左傳解》，均以鄭玄的箋注爲本，它們墨守鄭學的成說，沒有新的內容。《隋書．儒林傳》概括它的特點是：「北學深蕪，窮其枝葉」，指它在章句和細微枝節上下功夫，訓詁越來越艱深煩瑣，內容僵化缺乏生氣。

南學與北學之爭，爭論的中心是鄭學是否還要繼續發展的問題。北學繼承鄭學，把它僵化了，表現出保守的傾向，但它不處於漢民族文化的中心地區。南學既繼承傳統，又不斷研究，吸收外來的新的成分，體現了經學的繼續發展，是當時學術發展的主流。它們之所以沒有取得重大的、突破性的成就，是受到社會動亂、國家分裂的時代限制，與整個經學的衰落密切相關。它們的書早都亡佚，一些片段的研究成果，後來被吸收融匯進唐代的經學。

❖唐代經學統一的利弊

隋代結束了國家長期分裂的局面，唐代建成統一、强盛的封建國家。燦爛的唐代文化，達到中國封建文化的高峯。唐王朝思想文化統治的基本國策是儒、佛、道並用，而在禮、政、刑、教方面推重儒學。開國之後，朝廷推行一系列促進儒學發展的文化政策，如開館延聘學者，廣設學校傳授五經，恢復科學考試經義等，爲經學的復興提供了充分的政治條件。

在國家統一的局面下，長期分立的南學、北學漸趨合流。隋代著名學者劉焯、劉炫都精通南北二學，門生弟子遍天下。他們的弟子孔穎達（西元五七四～六四八年），奉敕主持完成了經學的統一工作。

經學的統一，是當時社會發展的需要。自漢代以來，經學在八百年發展過程中有許多流派，師法多門，義疏紛紜，章句繁雜，經文互有出入。官學傳授，考試取士，都沒有一致的標準。爲了推行國家的文化教育政策，必須進行經學的統一。於是，開國之初，就在國家統一領導下組織力量，選拔人員，對自西漢以來流傳下來的各種經傳進行比較、整理和研究，編纂統一的標準本通行天下。這項工作有三個主要內容：

一是考定五經定本。比較諸經各家傳本，一經選擇一種最優秀的傳本爲底本，參照各種傳本和古籍進行考證校勘，撰成定本。顏師古（西元五八一～六四五年）奉命考訂撰成的五經定本，完成了五經文字的統一，頒行全國爲法定的標準本。從此，五經文字完全固定下來，不再產生因文句不同而解釋各異的弊病，傳授和研究有了共同的依據。

二是統一五經文字音訓。漢語言文字學在隋唐之際有了重大成就，陸元朗（德明，西元五五〇～六三〇年）綜合漢、魏、六朝文字音訓研究成果，考證斟酌，歷時二十餘年，撰成《經典釋文》（三〇卷）於唐初問世。這部語言學著作繼東漢《說文解字》以後，集漢魏以來音訓研究之成果，考述經學傳授源流，採集二百三十餘家學者所注五經文字的音切和訓詁，使五經的文字每字都有音切和訓義，作爲音訓的標準。

三是統一五經義疏。國子祭酒（國家最高學府總管，類似唯一的國立大學校長）孔穎達奉敕領導一批學者分工撰述五經義疏，於西元六五二年完成《五經正義》（一八〇卷）。這部巨著是由許多學者執筆的，所以內容略有彼此互異之處，署名孔穎達，因爲他總其成，如同我們現在所說的「主編」。《五經正義》撰述的方法是選擇當時最好的傳本爲底本，採取「疏不破注」的方法，保留原本箋注，又經過考訂研究，爲舊的箋注再作疏解。

唐初撰寫《正義》的時代，漢學系在漢、魏以來四個多世紀中，已經積累了各家各派的豐富成果，整個學術領域在語言學、考古學、歷史學等方面都有很大進步，有條件解決過去闕疑或誤解的一部分問題，所以《正義》的疏解，較過去的箋注有所充實和提高，它體現了漢學系經學在新的歷史條件下的總結和發展。《五經正義》中以《毛詩正義》和《禮記正義》最好。《尚書正義》用孔安國的《書傳》，經後人考證是僞書，但唐人尚不能辨識。《周易正義》和《左傳正義》分別依據魏晉玄學家的傳注，表現了經學對於玄學哲學思想的吸取。《五經正義》是漢學系最好的注疏本，長期流傳不衰。孔穎達既編定《五經正義》，又將顏師古的《五經定本》、陸德明的《經典釋文》合編在一起，由朝廷頒行天下。從此，誦讀五經和考試取士，經文必須依據《定本》，音訓必須依據《釋文》、義疏必須依據《正義》，從文字到義疏都有了統一標準，以往各派的異文異說一律廢止，於是，自西漢以來的經學各派歸於統一。

任何事物都包含著內部矛盾，有其正、反兩個方面，並在一定的條件下向它的反面轉化。漢學系經學的統一，同時又是漢學系經學研究的終結。

人類的認識總是不斷地由淺入深，由片面到全面、由低級向高級發展，這是認識的規律。《五經正義》的整個思想體系體現唐初封建統治階級的要求，它的義疏，還有許多封建主義的東西；它的音切訓義，限於當時的語言文字學和歷史考古學的水平，有一部分並不確切；它的經文定本，仍然有個別的脫簡錯簡、通假和傳抄訛誤未曾校正。封建統治階級運用國家權力，把它的經文、音訓、義疏規定爲唯一的標準，一字一義不可改易，否則就被稱爲「異端邪說」，這就使它成爲僵化的教條，漢學系經學也就停止了發展。

中唐以後，唐王朝由盛而衰，統治危機四伏，僵化的漢學已不能起到爲其基礎服務的作用，而腐朽的佛教、道教思想風靡社會。如何發揮經學爲封建制度積極服務的作用，如何回答佛教和老莊思想的挑戰，以韓愈（西元七六二～八二四年）爲代表的正統的儒學思想家及其弟子李翺（西元七七二～八四一年），舉起反對佛老的旗幟，先後提出以《大學》、《中庸》爲綱領的理論體系，要求繼承堯舜到孟子的「道統」，對儒學進行改造。也有的學者經過獨立研究，對《正義》的義疏提出質疑，要求重新審議和解釋（如成伯璵《毛詩指說》）。他們承先啓後，成爲宋代經學革新的先驅。

第六節 經學主要流派的發展——宋學系各派

宋代進入後期封建社會，已經僵化的漢學不適應維護封建統治的要求。宋代的政治家、思想家們，針對自己時代的社會矛盾重新解釋五經。這由於經學是他們從前代繼承下來的主要遺產，其中的基本原則和許多思想資料仍然是有用的。爲了重新解釋，他們提倡自由研究，從經文、訓詁到義疏，他們對漢學經傳全面提出質疑，興起充滿懷疑精神的思辨學風。思辨學派與堅守漢學體系的漢學派長期論爭，完成了經學向宋學體系的轉化。程朱理學和陸王心學是宋學兩大流派。元明經學是宋學的繼續，明代河東學派與姚江學派之爭，是不同流派之爭。理學末流空談成風，學術空疏。

❖思辨學派

經過五代十國的長期動亂，破壞了封建倫常綱紀，必須重整綱常禮教。在這樣的時代要求下，宋王朝提倡尊孔讀經，以經義論策來重用文臣。所謂經義論策，就是從儒經中引申出解決現實社會矛盾的政策和策略。所以，宋代的政治家和思想家，儘管屬於不同的政治集團或派別，都按照自己的政治主張來解釋五經。

推行變法革新的王安石（西元一〇二一～一〇八六年），爲了給變法製造輿論，依託五經創立「新學」。他貶譏《春秋》是「斷爛朝報」，著《三經新義》重新解釋《書》、《詩》、《周禮》。司馬光（西元一〇一九～一〇八六年）是王安石的反對派，他反對「新學」，但也作出不同於漢學的經解，著《易說》、《書儀》、《孝經指解》、《大學中庸義》；他甚至作《疑孟》，懷疑《孟子》非孟軻所作。歐陽修（西元一〇〇七～一〇七二年）著《毛詩本義》，始創宋人對《毛傳鄭箋》和《詩序》的懷疑；又著《童子問》，明確提出《易》的〈十翼〉不是孔子之作。蘇軾（西元一〇三六～一一〇一年）著《易傳》、《書傳》，蘇轍（西元一〇三九～一一一二年）著《詩經集傳》、《春秋集傳》。張載（西元一〇二〇～一〇七七年）著《易說》。……他們或是政團領袖，或是名震一時的大家，都對漢學的義疏提出異議，創立新說。漢學不再是必須信從的了。

從北宋初期興起的思辨精神，發展爲風靡一代的懷疑學風，到南宋時形成强有力的思辨學派，或稱懷疑學派。他們不承認《五經正義》的「標準」性，認爲整個漢學體系存在許多謬誤和缺陷，要求開展自由研究，通過語言文字的和歷史的考證進行辨證。他們大膽懷疑，對漢學的經文定本、箋注、義疏全面質疑，對其中謬誤展開猛烈攻擊。例如，鄭樵（西元一一〇三～一一六二年）提出廢除《毛詩序》；朱熹（西元一一三〇～一二〇〇年）也直言「《詩序》壞《詩》」；孫復撇開《春秋》三傳而另作《春秋尊王發微》」；對長期被尊奉的《古文尚書》，朱熹懷疑它的眞實性……。思辨學派以求實的精神，有力的辨證，從根本上破壞了漢學體系的權威地位。

由思辨學派開拓的宋學，它的訓詁和義疏，較之漢學有很大的進步。訓詁簡明，通過考證而訂正了漢學箋注的一些錯誤；對五經內容的解釋，有一部分能夠符合或比較接近原意。尤其重要的是它提出的思辨學風，展開了對舊傳統的挑戰，他們是那樣大膽地懷疑，勇猛地向權威攻擊，暢所欲言地發表新的見解。他們不僅僅促進了經學的革新和發展，而且開啓了一個充滿求實和戰鬥精神的新時代。

但是他們的懷疑和論辨，在有些地方不能不以新的謬誤代替舊的謬誤，或者因爲根據不足而流於主觀臆斷。後來，爲了宣揚綱常禮教，他們由疑經發展到改經、删經，五經中凡有文句內容不合他們的「義理」，就隨意加以删改。例如：理學領袖朱熹作《大學章句》，就移易和增補經文；他的再傳弟子王柏（西元一一九七～一二七四年）作《書疑》、《詩疑》，前者補綴移易經文，後者則乾脆從《詩經》中删去三十二篇。提倡求實的思辨學派，在後期也逐漸向反面轉化。

❖程朱理學

理學是中國封建社會後期的官方哲學。它繼承和發揮先秦思孟學派的「性命義理」之學，以理欲心性爲論學對象，原稱「性理學」，即通常所說的理學；它以繼承孔孟道統自命，故又稱「道學」。它自我標榜是儒學正宗，實際上卻是先秦思孟學派的性理學與西漢董仲舒神學、魏晉南北朝玄學和佛學相綜合而成的一種思想體系。所以，它不完全是孔孟之道，只能說是以孔孟之道爲本體，又吸收融合了神學、玄學、佛學的一部分內容，因而不是儒學「正宗」，而是「雜交品種」。

理學發端於唐代中葉，韓愈提出以〈大學〉爲理論綱領的道統學說，經北宋周敦頤（西元一〇一六～一〇七三年）、程頤（西元一〇三三～一一〇七年）補充發揮，再經南宋朱熹

（西元一一三〇～一二〇〇年）發揮並集其大成，構成了一套完整的哲學體系，故稱「程朱理學」。朱熹的主要著作有《四書章句》、《詩集傳》、《周易本義》（後人還輯有《朱文公文集》、《朱子語類》等）。從南宋理宗時代起，理學被定爲官方哲學，以朱熹所注經傳爲國家規定的教科書，所以理學大行天下。

理學是殷周至漢唐以來，傳統天命觀的改造和發展。傳統的天命觀宣揚創造和主宰宇宙的是有靈的「天」、「上帝」，理學家則宣揚理是永恆的宇宙本體，產生天地的本源，世界一切的主宰。朱熹說：「未有天地之先，畢竟也只是理，有此理，便有此天地，若無此理，便亦無天地。……有理便有氣，流行發育萬物。」⑨程頤說：「理也，性也，命也，三者未嘗有異。」⑩他們所謂的理，實際上是傳統哲學中「天」、「上帝」的同義語，他們乾脆就把它叫做「天理」。什麼是他們所謂的「理」或「天理」呢？這就是三綱五常。三綱是君爲臣綱、父爲子綱、夫爲妻綱；五常是仁、義，禮、智，信。它們是維護封建統治秩序的封建倫理準則，理學家把它們說成是先天的、永恆的天理，人們必須自覺遵從而絲毫不容違悖，這樣就把傳統的三綱五常哲理化了。

理學又是對儒家學派人性論的進一步發展，把孟、荀的人性論予以綜合和改造。朱熹提出有兩種人性：「天命之性」和「氣質之性」。天命之性就是「理」，也就是三綱五常，它是人人先天就具有的本性，所以「性本善」。氣質之性就是人欲，指人的各種物質欲望和喜怒哀樂等各種情感。朱熹認爲氣有清明和昏濁之別：若稟清明之氣，而無物欲之累，便能成爲聖人；若稟昏濁之氣，爲物欲所蔽，就「性惡」，成爲愚、不肖。理學把人欲說成是愚昧和罪惡的根源，鼓吹「存天理，去人欲」，即用三綱五常的「天理」，控制自己的各種物質欲望和內心情感，通過個人的修養，從內心中把一切不符合封建倫理道德的物質要求和情感活動完全消除。

理學要求人的一舉一動，一意一念，都自覺地符合先驗的「理」，所以它强調道德修養，注重個人操守，談論性命義理之學。他們推崇《孟子》，宣揚孔、孟的仁義學說，又從韓愈那裡接過來《大學》的誠意、正心、修身、齊家、治國、平天下的綱領，把治國平天下作爲個人的歷史使命和社會責任，把殺身成仁、捨身取義、持節不屈、自强不息作爲道德修養的最高理想。在國家危亡之際，它講倫常綱紀，講仁政民本，講民族氣節，講個人操守，鼓勵爲正義和理想的獻身精神，有其一定的積極意義。

但是，就理學的整個思想體系來說，它突出綱常禮教，强調君權、父權、夫權及整個封建等級制度的神聖不可侵犯，戕殺個性自由，又成爲人民的精神枷鎖，嚴重地阻礙中國社會的進步。

❖陸王心學

心學與理學本是一對孿生兄弟。它由唐代中葉韓愈弟子李翺發其端，李翺以〈中庸〉强調封建道德修養和論述性與情的理論爲基礎，繼承發展了孟子的性善論，把人性論與封建綱常倫理聯繫起來。他認爲，人人先天具有封建綱常倫理的本性，也就是善性，有些人所以失去這善性，是由於喜、怒、哀、懼、愛、惡、慾這七情的干擾；所以，只要摒除這些情慾，就可以「反性」，即復歸善的本性。這個論點經北宋邵雍（西元一〇一一～一〇七七年）依據道家學說解釋，又經程顥（西元一〇三二～一〇八五年）吸收佛學加以發揮，到南宋的陸九淵（西元一一三九～一一九二年），完成了思孟學派與佛教禪宗思想的結合，構成了心學的思想體系。他們的理論觀點，在經學方面主要通過對《周易》、〈中庸〉及《孟子》的解釋闡發出來。

心學的著名命題是「心即理也」⑪。他們說：「宇宙便是吾心，吾心即是宇宙」⑫，心是世界的本體，客觀世界的一切都存在於心——我的精神之中。從這個命題出發，他們提出「本心」說：「人心自善，人心自靈，人心自明，人心即神，人心即道。人人皆與堯舜禹湯文武周公孔子同，人人皆與天地同。」⑬這就是說，人人的本心本來具有一切善和美的道德，與儒家綱常倫理、仁義道德的道統是一致的，只要人人能「知本」和「立心」，就人人皆可成爲堯舜那樣道德完美的聖人。所謂「知本」，又叫「發明本心」，即覺悟到封建倫理道德是天賦的自己的本心；所謂「立心」，又叫「自存本心」，即堅定地照封建倫理道德規範去做；能夠「知本」、「存心」，一切行爲自然地與規範合一，就達到聖人的思想境界了。「知本」「存心」靠覺悟和力行，也就是靠修行。陸九淵强調「養心莫善於寡欲」；排除一切物欲私念，讓頭腦裡只有封建倫理道德觀念，達到「徹骨徹髓」，「超然於一身」。這和佛教徒的修行，幾乎沒有多大區別了。陸九淵也以儒家正統自命，實際卻有更多的佛教禪宗的觀點。

陸九淵與朱熹進行過長達十五年的論辯，各不相下。其實，他們都以提倡三綱五常爲基礎，以維護封建統治階級爲目的，本質上是一致的。

明代的王守仁（陽明，西元一四七二～一五二八年）創姚江學派，繼續發展陸九淵心學，所以心學又稱陸王心學，這個有數百年影響的學派又稱爲陸王學派。

❖河東學派與姚江學派之爭

元、明經學是宋學的繼續。元代確定朱熹的道統，規定程朱理學爲官方哲學，定朱注

《四書》爲「經」，朱熹的經解具有思想壟斷的權威性。元儒著述，基本上只是朱熹傳注的疏解。明代繼續以朱熹傳注爲正宗，考進士後來也只從朱注《四書》出題，追逐利祿的知識分子就只讀朱注《四書》，讀五經的人都不多了。在明王朝文化專制主義的高壓下，明代學風的空疏，歷史早有定論⑭。明代經學是衰頹的，《明史·儒林傳序》說：「有明諸儒專門經訓，授受源流，則二百七十餘年間，未聞以此名家者。」明中葉，爲了挽救朱明王朝的深重危機，王守仁（陽明）繼承陸九淵心學，完成了陸王心學的完整體系。他開創的姚江學派，在明代後期盛極一時，而與堅守程朱理學的河東學派相對峙。

河東學派以其主要代表人物薛瑄（西元一三九二～一四六四年）是河津人而稱名。它以封建大官僚爲主體，反映官方正統思想。他們的著述只是對程朱理學的闡釋，但他們已是理學的末流，在當時激烈的社會鬥爭中，思想僵化，脫離現實，空談不務實際的性理之學。

王守仁開創的姚江學派，以其爲浙江餘姚人而稱名。他曾以恩威兼施的方式鎮壓農民暴動，也曾平定江西寧王叛亂。他說：「破山中賊易，破心中賊難」，「心中賊」指的就是人民的反抗意識，而治亂的根本方法是從人民心中消滅反抗意識，使其連一點不符合封建倫理道德要求的念頭都不發生，從而安分守己。

王守仁向極端化發展了陸九淵的「宇宙便是吾心，吾心即是宇宙」的命題，反對程朱理學「心外求理」，提出天下無心外之物，無心外之理。他全部學說的核心是「致良知」和「知行合一」。

所謂「致良知」中的良知，即天理，也就是那一套先驗的封建倫理道德。王門弟子曾把這一學說概括爲「王門四句教」：「無善無惡心之體，有善有惡意之動，知善知惡是良知，爲善去惡是格物。」⑮第一句說人心渾然一體，本無善惡之分；第二句說人產生各種欲求（即「意之動」），才有了善惡之分；第三句說順從天理的是善，違悖天理的是惡；第四句說要克服私欲，對封建倫理道德身體力行，王守仁在《大學問》中說這就是「格物」。

王守仁的「知行合一」學說與「致知格物」學說是一致的。他說的「知」和「行」，都不同於我們現在的概念。他說的「知」不是指對客觀事物的認識，而是指先驗的「良知」，他說「知行合一」不是從認識到實踐和從實踐到認識的認識和實踐的統一，而是知「天理」，行「天理」，用先驗的封建倫理道德來統率思想和行動。王守仁說：「一念發動處即是行，發動處有不善，就將這不善的念克倒」，要求人們連一絲一毫不符合封建倫理道德的念頭都不發生，這就是王守仁的「知行合一」。

王守仁的「致知格物」和「知行合一」，與朱熹的「存天理，去人欲」，並沒有本質性的不同。王守仁反對程朱理學的「心外求理」和「即物窮理」收效太慢，而且「求理」、

「窮理」的結果，還有導致「異端」理論的危險，不如他的「理在於心，不假外求」，只要老老實實照封建倫理道德的現成規範去做就行了，不合封建倫理道德規範的乾脆連想也不要去想。這套學說與大地主大官僚政權的愚民政策是一致的，所以在明代後期受到封建統治階級的推重。

河東學派與姚江學派之爭，是程朱理學與陸王心學長期論爭的繼續，他們主要發揮《周易》、《大學》、《中庸》的義理，把經學哲學化。程朱學派末流思想僵化，把禮教變成赤裸裸的殺人利器。陸王心學末流的解經充滿佛學內容，幾乎脫離經學變成了禪學。

明末學者不滿於宋學末流的空疏，一部分人轉而致力於經學中的考據學、文字音韻學和校勘學，如梅鷟考證《古文尚書》是後人所作的僞書，趙宧光、陳第等推翻宋人的「諧韻」說，焦竑講校勘之學，都顯示了良好的成績，開清代學術之先河。

第七節　經學主要流派的發展——新漢學系各派

明末國難當頭，一部分有識之士，痛感明代知識界的空疏不學是導致亡國的重要原因，積極倡導經世致用的實學，重新闡釋五經，宣傳社會改革思想。號稱明末清初三先生的顧炎武、黃宗羲、王夫之是其中傑出的代表，他們開創了浙西學派和浙東學派，以經世致用為共同的傾向。

隨著空談心性命理的宋學的沒落，出現了一個研究被廢棄的漢學古籍的復古運動，促進了清代漢學的復興，在經學史上稱為新漢學。乾隆時代加强文化專制主義，嚴酷的文字獄的恐怖，使知識分子轉向古文經傳的考證、校勘、辨偽，形成風行乾、嘉兩朝近百年之久的學風，史稱乾嘉學派；其中包括皖派、吳派兩大流派。他們是新古文學派。

道、咸以後，清王朝衰弱，末期封建社會百孔千瘡，外國資本主義入侵，為使祖國富强，一部分有改良主義思想的知識分子企圖從上而下進行社會改革，他們利用今文經學託古改制的思想，把經學作為宣傳變法維新的工具。這一派可稱為新今文學派。

❖浙西學派和浙東學派

顧炎武（亭林，西元一六一三～一六八二年）、黃宗羲（梨洲，西元一六一〇～一六九五年）、王夫之（船山，西元一六一九～一六九二年）是十七世紀中國後期封建社會的先進思想家。他們生活在「天崩地解」時代，勇敢地面對現實，或嚴辨夷夏界限，鼓吹民族思想；或提出均田、減賦、工商皆本等經濟改良主張，宣傳社會改革。雖然他們是地主階級改艮派，根本立場仍是維護封建關係，但他們在思想文化領域，開闢了一個充滿批評戰鬥精神的新時代，開啓一代新學風。

他們從前代繼承下來的思想資料，主要是經學和史學，他們治學也只能主要在這兩個方面進行發展和改造。所以，他們的學說都披著經學的外殼。

顧炎武創始浙西學派，著重在經學。他主張的經學是實學，即關係國計民生，實用於社會改革之學。他說：「止爲一人一家之事，無關於經術政治之大，則不作也。」「凡文不關六經之指，當世之務者，一切不爲。」⑯在他的名著《日知錄》、《天下郡國利病書》等書中，提倡「引古籌今」；其中一些發揮經義的文章，著眼於「國家治亂之源，生民根本之計」，爲人民疾苦發出呼籲。

顧炎武對程朱理學有所保留，對陸王心學持批判態度。他舉起復興漢學的旗幟，提倡「求是」和「求眞」：「求是」，就有必要研究被宋學排斥的古代經傳——基本是漢學經傳，探求對五經內容的正確認識；「求眞」，就要恢復五經本來的面貌，對五經進行文字、音韻、訓詁以及名物、歷史、地理的考證和版本校勘。他的著作都和考證相結合，是清代考據學（樸學）的創始者，所著《音學五書》奠定了清代音韻學的基礎。後來影響很大的戴震學派，直接繼承了它的指導思想和考證方法。

黃宗羲創始浙東學派，著重在史學，但也不廢經學。他提倡讀經治史，把史學與經學相結合；兩個大弟子萬斯大、萬斯同，前者傳經學，後者傳史學。黃宗羲主張六經都是古史資料，大史學家章學誠就繼承他的觀點，提出「六經皆史」的理論。

黃宗羲是王守仁的三傳弟子，對陸王心學持保留態度，對程朱理學則進行激烈批評。他宣傳民族思想，否定君主的絕對權力，對後來的反清民族運動和民主啓蒙運動都有積極影響。他的斷代學術史著作《宋元學案》、《明儒學案》，論述經學各個流派；《孟子師說》、《易學象數論》也都是影響很大的經學著述。閻若璩的《古文尚書疏證》鐵證如山地宣判了唐宋以來一直尊崇的《古文尚書》是僞書，震動了學術界，而閻若璩是受到黃宗羲《授書隨筆》的啓導。黃宗羲及其浙東學派，也是有重大影響的經學流派之一。

王夫之是明末清初進步的思想家，也是重要的經學改革家，但他的著作長期埋沒，不能流傳，所以沒有可能形成學派。直到清末，後人刻成《船山遺書》行世，他的著作才發生重大影響。

王夫之先生曾經遍注羣經，如《周易稗疏》、《書經稗疏》、《詩經稗疏》、《春秋稗疏》等。他的經說以解釋經書的形式，針對現實發揮議論，宣傳社會改革理想。如《詩廣傳》，看來是逐章評論《詩經》各篇，實則引古籌今，宣揚改良民生、平均天下等改良主義的政治觀點，帶上他那個時代的進步色彩。我們如其把這樣的書看作「經說」，不如看作是政治雜感和政治論文集，從內容到形式都是對經學的重大改造。

王夫之既反對程朱理學，也反對陸王心學。他在對經書的疏釋中批評理學、心學的「存天理，去人欲」和「致知格物」之說。他說：「飲食男女之欲，人人之大共」，「欲」就是人民的生存要求，就是公理，不應該强迫滅絕，而應該得到滿足，觀點鮮明，批判有力，揭露了理學家實際上是一羣不顧人民死活的僞善者。

三先生提倡讀古書，是「以復古爲解放」，使兩漢經傳復出，打破宋學的思想壟斷，促進人們思想從理學束縛下的解放。

讀古書，離不開文字、音韻、訓詁、辨僞、名物和歷史典章制度等考證工作。顧炎武開創的樸學，本來是提倡一種科學的治學方法，爲了引古籌今，經世致用；他搞金石考古，考證歷史、地理和漢族古代典章制度，也有在異族統治下保存漢族歷史文物制度的用意，這些曾經有一定的進步意義。

浙西學派和浙東學派都是顧炎武、黃宗羲的弟子或再傳弟子，許多人是清初的名家。上述閻若璩（西元一六三六～一七〇四年）的《古文尚書疏證》，打倒了宋學根基之一的《古文尚書》；胡渭（西元一六三三～一七一四年）的《易圖明辨》、《洪範正論》，打倒了宋學《易學的根基；毛奇齡（西元一六二三～一七一三年）的《四書改錯》，痛批朱熹的《四書章句》，痛罵朱熹。宋學的根基垮臺了，漢學獲得復興。清代復興的漢學，又不同於原來的漢學，它打著自己時代的烙印，有自己時代的內容，經學史上稱爲新漢學。舊漢學的遺產，古文經傳多，今文經傳甚少，因此新漢學主要依據古文經傳，清代漢學的復興，首先是古文經學的復興。

❖乾嘉學派

雍、乾時代，清統治者對知識分子實行文字獄和利誘收買兩手政策，大批知識分子脫離政治、逃避現實，鑽進古書堆中，興起對經書的文字、音韻、名物、訓詁和古代典章制度的考據，形成興盛近百年的學風。清代考據家很多，《清經解》收錄考據名著一五七家一八八種一四〇八卷，其中大多數是乾嘉時代的著作，世稱乾嘉學派，也稱考據學派。

乾嘉學派分爲趨向不同的兩派：吳派和皖派。吳派得到皇帝的支持，皖派得到學術界的推重。客觀看來，兩派各有其貢獻。

吳派以惠棟（西元一六九七～一七五八年）爲開創者，江聲（西元一七二一～一七九九年）、王鳴盛（西元一七二二～一七九七年）、趙翼（西元一七二七～一八一四年）、錢大昕（西元一七二八～一八〇四年）、焦循（西元一七六三～一八二〇年）等都是吳派名家⑰。

吳派學風有兩個特點：

一是好博尊聞。什麼東西都是越古越好，凡是漢儒舊說，包括陰陽五行在內；他們都奉為寶貝；凡是古書上有過的東西都可以考證，所以上自天文地理，下至鳥木蟲魚，從文字校勘，到音韻轉變，他們廣徵博引，無所不考。

二是不講義理。他們只搞考據，對思想內容不作任何說明和發揮。

所以，他們的考據，有的有價值，有的毫無意義。他們的有科學性的考據，是那些屬於文字學、史料學、博物學範疇的考據，可以幫助我們弄明白古書上一部分文字、名物、訓詁方面的問題，或提供一些參考資料；還有許許多多考據，如同「屠酤計賬」，羅列大堆材料，什麼問題也不能解決，屬於無用的煩瑣哲學。

皖派以戴震（西元一七二三～一七七七年）為創始者，戴震字東原，故又稱戴東原學派。段玉裁（西元一七三五～一八一五年）、王念孫（西元一七四四～一八三二年）及子王引之（西元一七六六～一八三四年）、孫詒讓（西元一七五三～一八一八年）、俞正燮（西元一七七五～一八四〇年）等人都是皖派考據大師⑱。

皖派的特點，是從小學入手，通過對經典的文字、音韻、訓詁的考據來證疏經傳，闡述經義。皖派反對空談義理，但不是不談義理，而是「由字以通辭，由辭以明道」。戴震的名著《孟子字義疏證》就是皖派的代表作，它以文義考證爲基礎，完成了從哲學上和政治上對理學的批判。他的許多著作都是考證、釋文、釋義相結合，達到清代古文學的高峯。

皖派在小學上有突出的成績。戴震的弟子都精於小學。段玉裁的《說文解字注》，「以字考經，以經考字」，廣徵博引，校訛字，考文理，通條貫，對經傳文字的大量引申義和假借義作出可信的考證。王念孫的《廣雅疏證》，對先秦兩漢古籍訓詁的豐富材料闡釋精詳；其子王引之著《經傳釋詞》，廣取古代經傳，歸納研討，參照比驗，對一六〇個虛詞的用法作了詳細解釋。經過他們兩代人幾十年的潛心考索，發現了經傳中古字的假借、古音的轉變以及大批虛詞的用法，使人們對不知讀音的古語明白了讀音，誤解詞義的得到了本義，使佶屈聱牙的古代經傳成爲一般讀者可讀可解的文章。雖然它們並不盡善盡美，卻有重要學術價值，直到今日，還是研究古經傳的必讀書。

乾嘉學派的求實精神和精密的考證方法，具有一定的科學性，不應全然否定。但是，在一百年時間中，乾嘉學派以古文學爲主，其考證範圍之廣泛，考證方法之精密，已達到很難繼續的地步。皖派的「戴東原精神」逐漸喪失，乾嘉以後日益陷入支離破碎、無實際意義的煩瑣考據。

清末王國維（西元一八七七～一九二七年）是清代考據學的集大成者。他繼承乾嘉學派的原則和方法，又吸取西方科學知識，在廣泛的學術領域作出傑出的貢獻，成爲考據學最後一位大師。現代以顧頡剛爲首的古史辨派和胡適派，也都不同程度地繼承了乾嘉學派的求實精神和考證方法。可是，那種爲考據而考據的煩瑣哲學，在當代也仍然有所表現。

乾嘉學派是清代古文學。章太炎（西元一八六九～一九三六年）是古文經學的最後代表人物。他在小學方面有根柢，對哲學、史學、文學也有貢獻，曾取清人經解編選羣經新疏。他從浙東學派那裡接過來民族思想，積極鼓吹反滿，成爲辛亥革命前影響很大的民主革命宣傳家。民主革命和封建經學是融合不到一起的，辛亥革命之後他又漸趨保守，反對「五四」新文化，提倡「國粹」。但是，舊經學必然沒落的命運是無可挽回的，後來章太炎只有凄涼地轉入消沈頹廢。

❖清今文學派

清代今文經學的發展經歷三個階段：十八世紀後半葉莊存與創立常州學派；十九世紀前期龔自珍、魏源的改良主義啓蒙運動；十九世紀後期康有爲的維新運動。

常州學派以莊存與（西元一七一九～一七八九年）及其弟子多是常州人而稱名。正在考據學盛極之時，他們不搞古文經傳的文字、音韻、名物、訓詁的考據，轉而研究今文經傳的所謂「微言大義」，自成一派，與吳派、皖派鼎峙。他們主要治《春秋》學，莊存與著《春秋正辭》，是清今文經學的開山作。他的弟子劉逢祿（西元一七七四？～一八二九年）著《春秋公羊傳何氏注釋例》，發揮「公羊學」的「三世」、「三統」說，闡發了清今文學的基本思想。莊存與的另一弟子宋翔鳳（西元一七七六～一八六〇年）作《擬漢博士答劉歆書》，展開對古文經學的批評，指斥古文經傳大多是劉歆欺世盗名的僞作。於是，展開了今文學與古文學之爭，考據與義理之爭。

自道、咸以後，清王朝國勢衰頹，封建末世危機四伏；外國資本主義侵略，國難當頭。劉逢祿的弟子龔自珍（西元一七九二～一八四一年）、魏源（西元一七九四～一八五七年），一方面批評落後的宋明理學戕害人們的個性，扼殺社會的生機；一方面批判考據之學脫離現實，無補於國計民生。龔自珍的經學著述有《六經正名》、《六經正名答問》、《春秋決事比答問》等，以公羊義例批評朝政，排詆專制。魏源的經學著述有《詩古微》、《書古微》等，宣傳更法改圖，革除弊政。他們採用今文經學這一古老的形式，在於今文經學的「微言大義」，有利於他們發揮自己的政治學說，他們特別重視「春秋公羊學」，在於大張它的託古改制思想，以求推動全面的社會改革和號召守土衞權、抵抗侵略。他們的學說反映了十九世紀前半葉進步知識分子的改革思潮，所以今文學盛極一時。

清今文經學把學術和政治緊密結合，提倡「經緯世宙」而反對脫離現實，注重發揮義理「昌言救世」而反對煩瑣無用的名物訓詁考證，同時開始吸收近代科學；這對開啓中國近代學術思潮，有著積極的影響。另外，輯佚書，也是淸今文經學的一大功績，在今文學盛行時，由於西漢今文經傳絕少流傳，所以倡言今文經的人就興起輯佚之風。凡是能夠從各種古籍中搜輯到的今文經學遺說，差不多都搜輯到，從而爲我們留下了一批研究資料。

清末維新變法運動的政治領袖和思想領袖康有爲（西元一八五八～一九二七年），是今文經學最後的代表人物。他的名著《新學僞經考》、《孔子改制考》，繼續批評古文經學是「僞經」，鼓吹今文公羊學的「三世」進化。他無限地抬高孔子的偶像地位。把孔子打扮爲託古改制的教主，變法維新的祖師爺。雖然康有爲自命爲「聖人」，而他的學說本身存在著致命的弱點：用武斷代替論證，用僞證代替實證，用新的迷信代替舊的迷信；尤其是在根本思想上，他以改良代替革命。當維新運動迅速失敗以後，康有爲的今文學也就隨之破產。

清末今文經學重要人物還有譚嗣同、夏曾佑、廖平等。但從龔、魏到康、譚的今文經學，並不是純今文經學，清末的純今文經學的大師是皮錫瑞（西元一八五〇～一九〇八年）。如果可以說龔自珍、康有爲等改良主義啓蒙思想家的著述是「舊瓶裝新酒」的話，那麼皮錫瑞的代表作《經學歷史》，還是「舊瓶裝舊酒」，經學已無可挽救地衰亡。以康有爲爲代表的一部分人，在民主革命中蛻變成一個復古的小宗派，在政治上發展爲保皇派，在文化戰線上發展爲所謂「孔教派」。

這十三部典籍及其在兩千餘年研究中所保存的大批思想資料、歷史資料、文學資料、學術資料，具有重大的價值，是一大筆文化遺產。

注釋

①范文瀾《經學講演錄》，《范文瀾歷史論文選集》，中國社會科學出版社，一九七九年版。

②章炳麟：《國學概論》。

③劉勰：《文心雕龍・宗經》。

④《困學紀聞》謂文帝僅立一博士，考之漢史，所聞不實。

⑤《漢書・韋賢傳》。

⑥王先謙《漢書補注》引何焯曰：「《文選》注三十八引劉歆《七略》。」

⑦漢章帝建初四年（西元七九年），爲正經義、省章句，章帝親自主持，召集羣儒講議五經，制定今

文經學的政治學提要（即《白虎通義》），可是今文博士只能記誦章句，不會概括大義；只能專講一經，不能兼通諸經。結果，《白虎通義》由古文學者班固編撰。

⑧鄭衆（西元？～八四年），著《春秋難記條例》、《周禮解詁》。衛宏，著《尚書訓旨》。賈逵（西元三〇～一〇一年），著《左氏解詁》、《周禮解詁》、《經傳義疏》。馬融（西元七八～一六六年），著《三傳異同說》，注《詩》、《書》、《易》、三《禮》、《論語》、《孝經》。

⑨《朱子語類》卷一《理氣（上）》。

⑩《程氏遺書．語錄》。

⑪《象山全集》卷十一《與李宰書》。

⑫《象山全集》卷二十二《雜說》。

⑬楊簡《慈湖遺書．陸先生祠記》。

⑭顧炎武《日知錄》卷十三評明人編纂的《五經四書大全》說：「……僅取已有之書抄謄一過，上欺朝廷，下誑士子，唐宋之時，有是事乎？豈非骨鯁之臣已空於建文之代，而制義初行，一時人士盡棄宋元以來之實學，上下相蒙，以饕祿利，而莫之問也。嗚呼！經學之廢，實自此始。」

⑮《王文成公全集．傳習錄下》。

⑯《亭林文集．與人書二》。

⑰惠棟重要著作有《周易述》、《古文尚書考》、《春秋左傳補注》、《毛詩古義》、《九經古義》等。江聲有《尚書集注音疏》、《尚書經師系表》等。王鳴盛有《十七史商榷》、《周禮軍賦說》、《尚書後案》等。趙翼有《陔餘叢考》、《二十二史札記》等。錢大昕有《二十二史考異》、《潛研堂文集》等。焦循有《易圖略》、《周易補疏》、《毛詩補疏》、《禮記補疏》、《左傳補疏》、《論語補疏》、《孟子正義》、《毛詩地理釋》、《毛詩陸璣疏》等。

⑱戴震代表作是《孟子字義疏證》，著作多編入《戴氏遺書》。段玉裁代表作是《說文解字注》以及《春秋左氏古經》、《詩經小學》等。王念孫代表作是《廣雅疏證》以及《讀書雜志》。王引之代表作是《經傳釋詞》。孫詒讓代表作是《周禮正義》及《尚書駢枝》等。俞正燮代表作是《癸巳類稿》、《癸巳存稿》。

第2章 《周易》

《周易》被列爲羣經之首。

《周易》是一部占筮用書，又是一部充滿豐富哲理的古代哲學名著。

《周易》本是一部筮書，簡稱《易》。古時人以爲自然界和人世間事事物物的發展變化，在冥冥之中有一種神奇的決定性力量在支配，人可以通過卜筮而預知吉凶趨避。所以，每當遇事不能決定如何處理，常以龜甲占卜，以蓍草占筮，根據卜筮的結果判斷如何趨吉避凶，來指導行動。以龜甲占卜的記錄，就是近代於安陽殷墟出土的甲骨卜辭。以蓍草占筮的記錄，逐漸積累多了，編訂爲一部書，供後來占筮參考，就是這部《周易》。

爲什麼命名爲《易》？一說「易」是飛鳥的形象，一說「易」是蜴的形象，飛鳥的姿態，蜥蜴的顏色，都是不時變化的，用以象徵宇宙萬物的千變萬化。也有的說，「易」是由「日」「月」兩字組成，日爲陽，月爲陰，用以象徵宇宙的陰陽二元論。東漢的鄭玄，對這個名稱的定義作了進一部發揮，他說「易」這個字有「變易」、「簡易」、「不易」三種含義：自然界和人類社會的萬事萬物都在不停變化，所以說「變易」；變化不息的宇宙有一定的法則，所以說「不易」；宇宙變化的這一定的法則，人們可以認識，遵循它來規範行動，所以說「簡易」。簡而言之，《易》這部筮書，其中包含著一定的哲理，所以又是我國古老的哲學著作。

我們現在讀《周易》，當然不是把它當筮書來用。占筮，和後來寺院廟堂抽籤對「靈籤簿」沒有本質的不同，它們都是迷信的產物，屬於神學思想體系。現在我們只是把它當作古老的哲學著作和珍貴的上古社會史料。

《周易》包括《易經》和《易傳》兩個部分。《易經》是用「⚊」（陽）和「⚋」（陰）兩個符號組成的六十四卦、三百八十六爻，卦有卦辭，爻有爻辭。它們產生的時代很早。由於這些文字簡約古奧、艱晦難解，在東周時代出現了對它的七種十篇解說，稱爲《易傳》。當然歷代都有人解說《易經》，而《易傳》七種十篇是最古老的，有系統、有參考價值的解說；其中有正確的成分，也有許多地方附會或曲解經文，發揮作者自己的哲學觀點。所以，《易經》和《易傳》有聯繫，又是時代、內容和性質不同的兩個部分，不要混爲一談。

漢代以前，《易經》和《易傳》是各自分立的，從東漢末年起，方開始陸續地把《易傳》各篇，分別附在《易經》各卦卦辭和各爻爻辭後面。經過一個較長的過程，方成爲《十三經注疏》中的現在通行的樣子①。我們現在研究《周易》，應把二者區分開來。

第一節 《易經》

❖《易經》的組織結構

《易經》有符號和文字兩部分。

符號部分：最基本的符號是「陽」和「陰」；「⚊」爲陽，「⚋」爲陰。這兩種符號連爲三疊而成「八卦」；八卦中的一卦自重或其中兩卦互重，構成六十四卦。

文字部分：六十四卦每卦有「卦辭」；每卦有六畫，一畫爲一爻，爻有爻辭。卦辭和爻辭就是經文。

先說八卦

「⚊」、「⚋」兩個符號是最基本的符號，《易經》中的全部卦象，都由陰陽這兩個符號構成。兩個符號中的一個自重爲三疊，或兩個符號一多一少互連爲三疊，可以成爲八種形狀，即八卦。八卦的形狀和名稱，依次是：☰（乾）、☷（坤）、☳（震）、☴（巽）、☵（坎）、☲（離）、☶（艮）、☱（兌）。爲了便於記憶，舊時有個口訣：「乾三連，坤六斷，震仰盂，巽下斷，坎中滿，離中虛，兌上缺，艮覆碗。」記住這個口訣，就能把八卦的名稱和形狀記住。

這八種重疊符號爲相對的四組，每組一陽一陰，單數爲陽，偶數爲陰。它們又各有象徵意義，依次是：天、地、雷、風、水、火、山、澤。詳如下圖：

形狀	名稱	象徵	類別	形狀	名稱	象徵	類別
☰	乾	天	陽	☷	坤	地	陰
☳	震	雷	陽	☴	巽	風	陰
☵	坎	水	陽	☲	離	火	陰
☶	艮	山	陽	☱	兌	澤	陰

八卦的形狀和名稱只是符號，它們的所謂象徵意義以及所謂「陽類」或「陰類」，也沒有什麼科學依據，最初所以運用這些符號，因爲它們產生在有文字以前。人們通常又常見它們組列爲八角圖形（見上圖）：

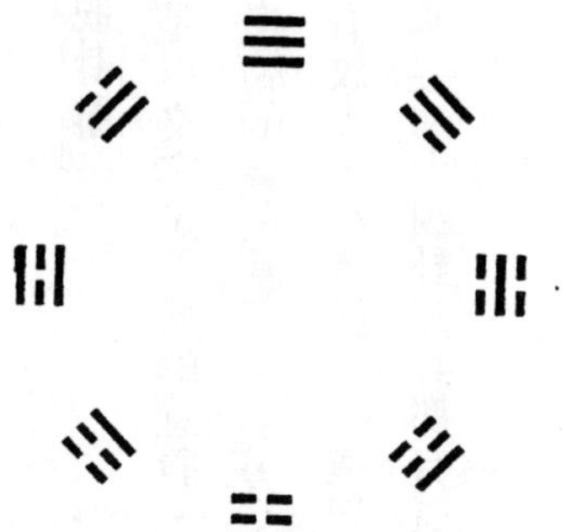

這樣的八角圖形，象徵著它們和所表象事物變化循環，沒有別的科學意義。

再說六十四卦

八卦自重或互重，又構成六十四卦。自重的如兩個乾卦重疊、或兩個坤卦重疊、或兩個震卦重疊等等，有八個這樣的自相重疊的卦畫；八卦之中的兩個互相重疊，如下震上乾、下乾上震、下離上坎等等，有五十六個這樣互相重疊的卦畫。卦畫或稱卦形，六十四卦畫各有一個名稱，自重的就用原名，如乾卦、坤卦、震卦等；互重的另外起個名稱，如否卦、泰卦、既濟卦等等。分編上下經，上經三十卦，下經三十四卦。

由八卦重疊而成的六十四卦形，用科學觀點來看，也沒有什麼實際意義，只是一些符號，和抽籤的號碼差不多，用作標記。

下面談卦辭、爻辭，也就是《易經》的文字部分。卦爻辭一共四百五十條，四千九百多字，即經文的全文。每一條都是占筮所要得到的筮辭；如同抽籤；抽到哪一條就看一條的文辭，用來回答所占卜的問題。

先說卦辭

卦辭是以文字定全卦的意義。如首卦乾卦的卦辭：「元亨利貞。」元是大，亨是吉，貞是卜問；這句的意思是：「大吉，占此卦舉事有利。」又如第三卦屯卦的卦辭：「元亨利貞。勿用有攸往，利建侯。」這句的意思是：「大吉，占此卦舉事有利；不利於出門，利於建國封侯。」六十四卦每卦都有這一類定全卦意義的卦辭，一共六十四條卦辭。

再談爻辭

六十四卦每卦上下有六畫，一畫爲一爻，每卦有六爻，首卦乾卦、第二卦坤卦各多一爻，一共三百八十六爻。每一爻的意義都有文字解釋，稱爻辭。

每一爻也都有名稱，「⚊」爲陽爻，「⚋」爲陰爻，陽爻稱爲「九」，陰爻稱爲「六」。這六爻排列的順序和通常由上而下的排法不同，而是由下而上的。第一爻稱「初」，即最下的一爻，第六爻稱「上」，即最上的一爻。如乾卦是六個陽爻，由下而上稱謂是初九、九二、九三、九四、九五、上九，本卦外加一爻叫用九。又如屯卦（震下坎上）六爻依次是初九、六二、六三、六四、九五、上六。

古人占筮時，占得某卦某爻，便查看某卦某爻的文辭，用來斷定吉凶，指導行動。我們舉兩卦爲例（原文後括號內是譯文）：

䷊（乾下坤上）泰第十一　小往大來，吉，亨。（第十一卦泰卦　損失小得益大，吉利，亨通。）

上六　城復于隍，勿用師。自邑告命。貞吝。（城牆倒塌在城壕裡，不利於出兵。從城邑告命於上。問事不利。）

六五　帝乙歸妹，以祉。元吉。（帝乙出嫁少女，有福。大吉。）

六四　翩翩，不富以其鄰，不戒以孚。（翩翩，不富裕因爲鄰居竊取，不加戒備還會倒楣。）

九三　无平不陂，无往不復，艱貞，无咎。勿恤其孚，于食有福。（沒有一直平坦不斜坡的，沒有永遠向前不復返的，問的事艱難，沒有災禍。別擔憂受罰，倒有酒肉可吃。）

九二　包荒，用馮河，不遐棄。朋亡，得尚于中行。（身上綁著空瓠瓜涉河，不至於墜水。丟失了錢財，半路上卻有人幫助。）

初九　拔茅茹以其彙，征吉。（拔茅草連桿帶根一起拔出來，出行吉利。）

䷋（坤下乾上）否第十二　否之匪人，不利君大往小來。（第十二卦否卦　閉塞黑暗由於用人不肖，問事君子不利，損失大得益少。）

上九　傾否。先否後喜。（暗塞不通之時不長了。先閉塞後喜慶。）

九五　休否，大人吉。其亡其亡。繫於苞桑。（安不忘危，大人就會吉利。時時刻刻懼怕危亡，就像桑樹一樣根深茂盛。）

九四　有命，无咎，疇離祉。（王有錫命，無有災禍，福壽齊至。）

六三　包羞。（享受祭肉）

六二　包承，小人吉，大人否。亨。（包著熟肉，小人吉利，大人倒楣。亨通。）

初六　拔茅茹以其彙，貞吉，亨。（拔茅草連桿帶根一起拔出來，問的事吉利，亨通。）

《易經》各卦的結構形式就是這樣。它和其他各經不同，其他各經是分篇分章，讓人逐篇逐章去讀，《易經》卻是六十四卦，每卦六爻（乾、坤二卦各多一爻），占筮占得某卦某爻便查閱某卦某爻。

❖卦爻辭的分類

《易經》的經文就是卦辭和爻辭，就其性質來分，可以分爲記事之辭、取象之辭、論說之辭、斷占之辭②。

一、記事之辭

記事之辭包括記敘流傳的古代故事，對占筮之事的記錄或直敘其事。

採用古代故事來象徵休咎，是古今卜書筮書通用的一種方法，占筮的人用古代故事的過程來比附所占問的事，從而論斷休咎。這類古代故事在卦爻辭中爲數不少。

今人顧頡剛《周易卦爻辭中之故事》③考證出卦爻辭中的五個古代故事，可謂理明證確。如〈大壯〉六五：「喪羊于易，无悔。」〈旅〉上九：「鳥焚其巢，旅人先笑後號咷，喪牛于易，凶。」這二爻所說的是殷先王亥客於有易國，被有易之君綿臣殺害並奪去牛羊的故事。

〈既濟〉九三：「高宗伐鬼方，三年克之。」〈未濟〉九四：「震用伐鬼方，三年有賞于大國。」這二爻記的是殷高宗征伐鬼方這個國家，有一個名叫震的周人幫助，三年戰勝了鬼方。〈泰〉六五和〈歸妹〉六五：「帝乙歸妹，其君之袂不如其娣之袂良。」二爻所記的是殷帝乙嫁少女給周文王之父王季的故事。〈明夷〉六五：「箕子之明夷，利貞。」記的是殷亡，紂王之兄箕子逃亡到東方明夷這個國家的故事。〈晉〉卦辭：「康侯用錫馬蕃庶，晝日三接。」所記的是武王之弟衞康叔用成王賜給的良種馬來繁殖馬匹，一天多次配種。這些故事，卦爻辭所記簡單，或者只能說是故事的雛形。當時這些故事是流傳的，簡括的一說，人們便能知道是什麼故事，就可以用來象徵順逆吉凶。古人記載工具不完善，後來許多歷史湮沒，一些故事便不為人知。除了已考據出的這五個故事，還有一些故事其事可知而其人不可指，或其事隱約而其人也不可指了。郭沫若撰《周易時代的社會生活》，其中也舉出這類雛形的故事④。

卦爻辭中還有一部分是以往占筮的記錄。古人占筮問事，其結果往往也有巧合者，如占得某卦某爻得吉，事後驗證果然吉利，於是便把這事記錄在該卦該爻之下，作後來的借鑒。當時記的這些事或簡或略，都是當時社會生活的實錄。

二、取象之辭

所謂取象，是用具體的事物表達抽象的道理，這是卦爻辭的特點之一。它採用自然界或人類社會的某種現象作爲象徵，向占筮者指示體咎。卦爻辭取象的內容有的簡單，有的較爲複雜。

內容比較簡單的，近似於詩歌中的比興，如〈大過〉九二：「枯楊生稊，老夫得其女妻。无不利。」（枯楊樹發芽，老頭子娶了個年輕女子。）同卦九五：「枯楊生花，老婦得其士夫，无咎无譽。」（枯楊樹開花，老婦人找了個年輕的丈夫。）二者以這樣的比興，引譬連類，得出「无不利」和「无咎无譽」的論斷。它們都是以象徵、比附的方法來表達事理。

取象比較複雜的，近似於散文中的寓言。如〈履〉六三：「眇能（而）視，跛能履，履虎尾，咥人。」（眇者〔不宜視而〕視，跛者〔不宜行而〕行，結果踩著老虎尾巴，被老虎所噬。）這個簡短的寓言是說做不能做的事就會得到壞結果，用以說明下文的「凶，武人爲于大君。」（武人沒有那樣的德才，一定要去當國君，結果也是凶惡的。）又如〈井〉九二：「井谷射鮒，甕敝漏。」（井泉裡有條小鮒魚，有人引弓發矢去射，結果汲水的甕破碎漏水。）這則寓言說爲了想取得區區一條小魚，連盛水的器具都打破了，以致吃水都成了問題，譬喻的意義是：為了些許的利益動干戈，不但得不到微利，還會造成大損失。

卦爻辭取象，或取於自然界的現象，或取於社會的現象，都以客觀現實為依據，以常見的事物為比喻。應用於占筮的時候，象徵和比附的方法可以有較大的靈活性，盡可以一推百，以小推大，以近推遠，有很大的附會的餘地。

三、論說之辭

卦爻辭中也有一小部分文辭提出作者的思想、主張以及關於行為修養的論述。如〈臨〉卦主要講治民術，各爻分別提出「咸臨，吉」（以感化治民，吉）、「甘臨，无攸利」（以壓迫治民，沒有好處）；「至臨，无咎」（躬親政治，无咎）、「知臨，大君之宜，吉」（統治者具備聰明智慧用以治民，吉）、「敦臨，吉」（統治者忠厚誠實管理百姓，吉）。又如〈謙〉卦主要講修養，各爻分別提出「鳴謙」（出了名要謙虛）、「勞謙」（有了功勞要謙虛）、「撝謙」（有施於人要謙虛）等等。再如〈乾〉九三：「君子終日乾乾，夕惕若，厲无咎」（君子整天進取不息，夜晚警惕，可以轉危為安）。〈比〉六三：「比之匪人」（輔佐不得其人），其結果不言而喻。〈小過〉六二：「過其祖，遇其妣；不及其君，遇其臣。无咎。」（祖父可以批評，祖母可以贊揚；君王可以指出他的不足，臣子可以贊揚；這樣就不會有禍害。）這裡指出批評要不分尊卑上下，錯的就要批評，好的就要表揚。像這一類關於修養的論說，還有一些。

這類文辭在卦爻辭中雖然不多，其中卻有一些精到的見解，是我們了解那個時代思想的重要材料。

四、斷占之辭

斷占之辭在卦爻辭中是較多的，大多使用「利」、「亨」（亨通）、「吉」、「凶」（禍殃）、「厲」（危險）、「悔」（困厄）、「吝」（艱難）、「咎」（災患）等詞。也有時不用這類詞，而具體論斷事之可否、利害、得失，如〈泰〉九三：「勿恤其孚，于食有福」；〈漸〉九五：「婦三歲不孕」等。斷占之辭多與記事、取象、論說之辭有內在的聯繫，多是承其之後而揭示其所含休咎之義，只有少數在前面；有時記事、取象、論說之辭所含休咎之義顯而易見，就不再用斷占之辭。

斷占之辭是向占筮者論斷休咎的，對於我們已經沒有價值。

❖《易經》的時代和作者

《易經》究竟是何人作於何時？這個問題在先秦時代已經是個疑案，至今尚無定論。八卦是誰畫的？過去相傳始於伏羲氏這個無可信考的傳說人物。〈繫辭下傳〉說：「古者包犧氏之王天下也，仰則觀象於天，俯則觀法於地，觀鳥獸之文，與地之宜，近取諸身，遠取諸物，於是始作八卦。」還有的傳說伏羲開天闢地，太極開而生八卦。這些傳說具有荒誕的神學色彩，殊不足信；至於扯到神農氏或夏禹演六十四卦，也是爲了增加這部筮書的神祕色彩，抬高它神聖性的權威地位，當然也不足信。司馬遷說，是周文王「益《易》之八卦爲六十四卦」（《史記‧周本紀》），也沒有說出什麼根據來，仍是疑案。

其實「—」、「- -」不過是從原始社會傳下來的符號。古人結繩記事，或在石上木上畫線記事，用這兩個符號作不同形式的組合，只是用於記事，或作爲某種標記。近年來從江蘇海安縣青墩遺址出土的骨角柶和鹿角枝，還有殷墟甲骨、周原甲骨、西周青銅器以及湖北江陵天星觀楚簡，都發現有一種由六個數字組成的符號。經今人辨認，這些符號就是原始卦爻形式⑤；由此推論，《易經》的卦畫，也不過是原始社會傳下來的一些符號罷了，它們作爲從原始社會傳下來的占筮的標記而被沿傳下來。

卦爻辭是何時何人所作呢？成於戰國時期的〈繫辭下傳〉說：「易之興也，其當殷之末世，周之盛德邪？當文王與紂之事邪？易之興也，其於中古乎，作易者其有憂患乎！」他把《易經》的時代大體定在殷周之際，對作者則持存疑態度。司馬遷卻肯定是文王所作，他說：「文王拘而演周易」⑥，「自伏羲作八卦，周文王演三百八十四爻。」⑦班固承襲這個說法：「文王……重《易》六爻，作上下篇。」⑧以後的漢儒大都承襲此說，對這些說法歷代都有人懷疑。本世紀二十年代末至三十年代初，以及六十年代初，我國學術界曾就《周易》的作者和時代問題展開兩次較大規模的討論，但迄無定論。

現在比較普遍的看法是這樣的：《易》是周代的筮書。古代占筮之事由太卜或筮史掌管，《周禮·太卜》說：「大卜掌《三易》之法，一曰《連山》，二曰《歸藏》，三曰《周易》。其經卦皆八，其別皆六十有四。」《連山》是夏代筮書，《歸藏》是殷代筮書，《周易》和它們的體例一樣，顯然是在夏、商筮書的基礎上重新編訂的，它優於前二者，所以能夠傳用下來。《周易》的卦爻辭與前二者的筮辭可能也有聯繫，這從其中保存著遠古即原始社會末期的某些記事，就可以論定。可以這樣說：大約在殷周之際，周人的祖先開始把他們占筮的經驗記錄下來，這些記錄下來的筮辭逐漸積累，大約在西周初年有人加以編選和修訂，便成爲《周易》這部新的筮書。

體是對的，指《易》中的材料包含夏、商、周三代的事實記錄；說「人更三聖」（伏羲、文王、孔子），那就不一定了。爲什麼呢？因爲這些古經文不是一個時期寫定的，也不是出於一人之手，它的主要作者是太卜或筮史。過去傳說文王作卦爻辭，可能文王對本書的編纂起了重要作用，但以後又有人增訂，仍非出自文王一人之手。我們可以完全肯定：《易》編纂成書的時間不可能早於西周初年，因爲其中有成王時代康侯參加周公領導的平叛之事的記載；又不可能遲於西周末年，因爲《左傳》中有許多以《易》占筮的記錄；《易》中沒有成王之後事情的記載，而且就其晦澀詼詭、古奧難懂的語言及其語言結構和詞匯特點來看，把其編纂時代斷在西周初期，是站得住腳的。

❖占筮之法

古代占筮，使用五十根蓍草，後來以竹籤代替。茲介紹原始的筮法和簡便的筮法兩種

先說原始的筮法

五十根竹籤先取出一根始終不用，以象徵天地未開之前的太極，即所謂「太衍之數五十其用四十有九。」

將這四十九根籤三變，每變七演，共二十一演，得一爻。法如下：

一變：將四十九根籤隨意分握於左右手，左象徵天，右象徵地，即所謂「分而爲二以象兩」。此爲一演。

從右手中抽出一根夾於左手小指與無名指之間，象徵人，然後放下右手的竹籤，即所謂「掛一以象三」。此爲二演。

數左手的竹籤，每四根爲一組，象徵四時，即所謂「揲之以四以象四時」。此爲三演。

數之最後，或餘一根，或餘二根，或餘三根，或餘四根，夾於中指與食指之間，象徵閏月，即所謂「歸奇於扐以象閏」。此爲四演。

取右手原來放下的竹籤加上抽出夾在左手小指與無名指之間的一根竹籤，每四根爲一組數之，所謂「再揲之以四以象四時」，此爲五演。

數之最後，或餘一根，或餘二根，或餘三根，或餘四根，夾在指間，所謂「再歸奇於扐」，此爲六演。

取指所夾之籤合在一起，所謂「再扐而後挂」。此爲七演。

以上一變七演畢，得籤或四十四根，或四十根。

二變：將一變所得之籤，按照一至七演的程序再進行第八演至第十四演，其結果可得籤或四十根，或三十六根，或三十二根。

三變：將二變所得之籤，按照一至七演的程序再進行第十五至第二十一演。三變畢，可得籤三十六根、三十二根、二十八根、二十四根四種。

得三十六根，九揲之數，稱老陽，爲可變之陽爻，記錄成□。

得三十二根，八揲之數，稱少陰，爲不變之陰爻，記錄成⚋。

得二十八根，七揲之數，稱少陽，爲不變之陽爻，記錄成⚊。

得二十四根，六揲之數，稱老陰，爲可變之陰爻，記錄成×。

這樣就得出了初爻，即所謂「三變而成爻」；九、八、七、六四揲稱四營，以四營成爻，也以四營變爻，即所謂「四營而成易」。

然後，按照以上演法，逐次得其餘的五爻，即所謂「十有八變而成卦」。

假定：經過三變所得的六爻，依次記錄爲：初九、九二、九三、、六四、六五（老陰

×）、上六，得到的就是泰卦䷊，但第五爻是老陰，可能變爲陽爻，就成爲需卦䷄，稱作「泰之需」。泰卦是「本卦」，需卦是「之卦」。占筮的占斷，在本卦的變爻。以上記泰卦爲例，占斷看六五變爻的爻辭。爲了解卦的整體，卦辭也一並參考。

當一卦中出現兩個變爻時，看本卦這兩個變爻的爻辭，以在上者爲主。有三個或三個以上變爻時，看本卦和之卦的卦辭，如出現矛盾，依本卦卦辭。

再說簡單的筮法

依據唐代《儀禮正義》之〈士冠禮〉，簡化爲不用竹籤而用銅錢。後世那些搞「周易六爻神課」的，就多用銅錢了。其方法是用三枚銅錢在一個竹筒中搖動，然後擧高倒在盤中，驗看其正面或背面：

兩個正面一個背面，是少陽⚊；

兩個背面一個正面，是少陰⚋；

三個背面，是變爻老陽□；

三個正面，是變爻老陰×。

這樣六次，可得全卦。六爻中有一個變爻，占斷看該變爻爻辭；有兩個以上變爻，占斷看卦辭。

❖中國第一部哲學著作

《易經》是作為筮書而編纂和流傳的，目的是供人們通過占筮的斷占之辭來預測吉凶、指導行動，所以從總體來看，它崇拜冥冥之中有神靈的力量支配宇宙之一切，這種神靈的力量或意志，表現為有某種統一安排的事物生成發展的法則，而通過膜拜和祈禱，人們就可以得到對未來命運的啓示。這種觀念和形式，自然屬於神學神祕主義思想體系，表現為客觀唯心主義的宇宙觀。

不過，這種企圖預知事物發展的企求，又表現了遠古人們企圖認識世界、掌握事物發展變化法則的努力。先民經過長期對事事物物的反覆觀察和實踐，也逐漸獲得一些客觀認識，這些認識也反映在《易經》的製作、記述和其論斷之中。因而在《易經》神學迷信的形式之下，表現了上古時代人們抽象思維的發展，這對中國古典哲學的發展具有深刻的影響。因此，《易經》是中國第一部哲學著作。

先從本體論說起

《易經》的本體論，當代學術界普遍認爲含有原始的樸素唯物主義的思想因素。馮友蘭《中國哲學史新編》說：「天地如父母，生出來六個子女，分別代表殷周之際的人所認爲是自然界六種重要的自然現象。照這樣的理解，包括天地在內的自然界成爲一個血肉相連的大家庭。這種神話式的對於自然界的理解，就是唯物主義世界觀的胚胎。」任繼愈主編的《中國哲學史》也說：「《易經》從人們生活經常接觸的自然界中選取了八種東西作爲說明世界上其他更多東西的根源。……這是一種十分樸素的萬物生成的唯物主義觀念。」

卦爻辭雖然披著神學的外衣，記錄的卻是古代生活的眞實，反映了人們對自然現象、自然規律、人與自然之間的關係以及人與人關係的初步認識，作出不同於神學迷信而比較符合科學實際的解釋。例如，神學迷信說雷電是「天」的震怒和懲戒，《易經》的〈震〉卦卦辭卻講人們對雷電三種認識的反映：或懼怕顫抖，或言笑自若，或聽到震驚百里的巨雷，勺子裡的酒也沒有灑出一滴；其上六爻辭講對雷電既不要驚懼失措，又要警惕小心；不外出，就可以保平安。在這裡，反映了長期實踐的經驗，突破了神學的樊籬。又如〈遯〉初六爻辭「遯尾吉」，講的是小豬去尾長得好；〈大畜〉六五爻辭「豶豕之牙吉」，講的是閹豬溫順易肥；

〈明夷〉六二爻辭「用拯馬壯吉」，講的是閹馬壯好使等等，以及幾個有關農業生產的卦，都反映了人們在畜牧業、農業生產長期實踐經驗的總結。儘管這些認識還是粗淺的、初步的、甚至是幼稚的，但反映出先民們努力擺脫神學束縛去認識世界所取得的一些合理的顆粒；這在人類認識的長河中，是一個必不可少的發展階段。

再說方法論

《易經》是一部講變化的書。「易者，變也。」即使照鄭玄的解釋，「易」有「簡易、變易、不易」三義，歸根還是一個「變」字。在方法論上，《易經》也是透過神學神祕主義的形式，反映了原始的樸素的辯證法思想因素。

《易經》從複雜的自然現象和社會現象中，抽象出陰（--）陽（—）兩個基本範疇，以這種符號象徵著天地間萬事萬物各各具有的相對的兩種性質，如天與地、日與月、男與女、晝與夜、寒與暑、正與負、生與死、正與邪、苦與樂、順與逆、吉與凶、剛與柔、富貴與貧賤、前進與後退、積極與消極、一切事物有利也有弊……，這反映《易經》描述的整個世界萬事萬物，存在著矛盾對立的現象。

郭沫若《周易時代的社會生活》說：「八卦的根柢，我們很鮮明地可以看出是古代生殖器崇拜的孑遺，畫⚊以象男根，分而爲⚋以象女陰。」這個論斷比較符合⚋⚊的原始意義，也與當時思維發展水平相適應。由陰陽這一對矛盾的作用，產生了八卦和六十四卦所象徵的萬事萬物的生長、發展和變化。

《易經》中關於對立的觀念，反映了矛盾的普遍性。首先，自然界存在著對立的現象，如〈明夷〉上六爻辭：「不明晦。初登于天，後入于地。」講的是太陽下山天黑了，太陽初登於天爲明，後入於地爲晦。這裡就包含著明與晦、天與地、日出與日入的對立現象；關於晝夜、牝牡、生死，榮枯等相對立的文字，在各卦爻辭中還有不少。其次，社會也存在著對立的現象，如〈剝〉上九爻辭：「碩果不食，君子得輿，小人剝廬。」講的是農奴不能享受勞動果實，去給貴族造車，貴族有了車，農奴卻離開自己的茅屋。又如〈小過〉六二爻辭：「過其祖，遇其妣，不及其君，遇其臣。」〈小畜〉九三爻辭：「輿說（脫）輻，夫妻反目。」等等，在這裡，君子與小人、夫與妻、祖與妣、君與臣、得輿與剝廬、過與遇等都是相對立的現象。再次，對立矛盾現象還表現在人們的活動及其結果中，如〈小過〉卦辭：「可小事，不可大事。飛鳥宜止音，不宜上，宜下。」〈蒙〉上九爻辭：「不利爲寇，利禦寇。」（寇爲侵略）〈否〉上九爻辭：「先否後喜。」〈訟〉卦辭：「中吉終凶。利見大人，不利涉大川。」……都是對立矛盾現象，而且朦朧地感覺到了矛盾的雙方相互依存：沒有君，就沒有臣；沒有上，就沒有下；沒有進就沒有退；沒有小，就沒有大等等。當然，這還只是一些原始的、樸素的辯證法思想因素，尚未構成明確的對立統一的觀念。

《易經》的樸素辯證法思想因素，還表現在運動變化的觀念。任何一卦，只要改變其中的一爻，由陽爻變陰爻，或由陰爻變陽爻，就變成與原來完全不同的卦。如〈乾〉卦初九的陽爻變爲陰爻，就變成〈姤〉卦；〈乾〉卦的卦辭是「元亨利貞」，〈姤〉卦卦辭是「女壯勿用取女」（女子受傷，不利於娶女）。〈坤〉卦初六的陰爻變爲陽爻，就成爲〈復〉卦；〈坤〉卦卦辭與〈復〉卦卦辭也是兩回事。如果一卦中變動幾個爻，或者變動所有的爻，那麼就會變成相反的卦，如〈益〉卦䷩六二的陰爻變陽爻，九五的陽爻變陰爻，就成爲相反的〈損〉卦䷨；〈泰〉卦䷊的初九、九二、九三的陽爻全變陰爻，六四、六五、上六的陰爻全變陽爻，就變成相反的〈否〉卦䷋，〈泰〉卦卦辭說：「小往大來，吉。」〈否〉卦卦辭說：「不利君子貞，大往小來。」占斷結果完全相反。

《易經》也比較明顯地反映了事物發展轉化的觀念。變化著的事物都有它發展的階段，以〈乾〉卦爲例，本卦卦辭是大吉大利，初九爻辭是「潛龍勿用」，說龍潛隱不動開始是不利的；九二爻辭是「見龍在田，利見大人」，是說龍出現在田野上了，一見大人就會顯達；九三爻辭是「君子終日乾乾，夕惕若，厲无咎」，是說君子整天勤勉，夜晚警惕小心，有危險也不要緊；九四爻辭是「或躍在淵，无咎」，是說龍躍於淵，正得其所，沒有災難了；九五爻辭是「飛龍在天，利見大人」，龍飛於天，升騰之象，一見大人就會顯達；上九爻辭說「亢龍有悔」，是說發展到極點，龍反常態，又有困厄了。〈乾〉卦多一爻爲用九⑩，爻辭是「見羣龍无首，吉」，羣龍騰飛於雲中而不見其首，是大升騰之象，故曰吉。從這個卦可以看到，開頭是潛隱、並不利，接著是出現、有了前途，再經過努力轉危爲安，終於得所，再大升騰，到了極點又化爲困厄。全卦以龍騰爲象，象徵一切事物有發展過程，在這個過程中，有進有退，有得有失，有順利有不順利，而且發展到一定的階段又向反面轉化。這一物極必反的原則，〈泰〉卦九三爻辭也說得很清楚：「无平不陂，无往不復」，這些話同樣包含著樸素的辯證法思想。

《易經》是人類在文化幼年時代通過反覆實踐認識所完成的抽象思維的成果。它的突出的弱點是認識不到矛盾對立的轉化必須具備一定的條件，也認識不到發展變化是由低級向高級的發展而不是簡單的循環。因此，它終於掙不脫神學神祕主義的桎梏。

❖社會史料和思想史料

《易經》卦爻辭多是筮事的記錄或對古代傳說的記述，雖然這些記錄東鱗西爪，既不完整，又不系統。但周初、殷周之際以及遠古的史料極其缺乏，這些片斷的文字，就成爲極爲珍貴的第一手材料。

先說社會史料

從《易經》卦爻辭，我們首先看到那個時期的社會情況。卦爻辭中寫到的統治者有天子、王、公侯、大人、君子、武人等，被統治者有小人、刑人、邑人、童僕、臣、妾等，他們的政治地位和經濟地位是對立的。

統治者對被統治者操生殺予奪之權，設有專政機器「幽谷」（監獄）。〈困〉卦就是一個記刑獄的卦，初六爻辭：「臀困于株木，入于幽谷，三歲不覿。」說的是被監禁者臀部受杖刑，然後關進類似潮濕黑暗的土窖一樣的監獄，一關就是三年不見其人。六三爻辭：「困于石，據于蒺藜，入于其宮，不見其妻。」說的是犯人被擔枷示衆，又放在四周是蒺藜的地方，放回家，妻子已經沒有了。九五爻辭又說到「劓」「刖」，即把人割去鼻子，鍘掉兩足。又如〈革〉卦九五爻辭「大人虎變」、上六爻辭「君子豹變」，都是說統治者像虎豹一樣發威，老百姓視如虎豹。再如〈訟〉卦九二爻辭：「不克訟，歸而逋其邑人三百戶。」說的是某貴族打官司敗訴，回來一看，奴隸逃亡了三百戶。卦爻辭有許多條寫戰爭，如〈師〉、〈同人〉、〈離〉、〈晉〉等卦，這些戰爭多是「寇」（即侵略戰爭），奴隸主發動軍隊去侵掠弱小的異族或他國。《易經》還寫了較多的貴族內部的矛盾鬥爭及其腐朽，如〈比〉、〈否〉、〈遯〉、〈萃〉等卦。

從卦爻辭中，還可以看到那個時代社會生產力發展的情況和一些社會經濟活動。在這個時期，人們使用的工具：耕田用耒耜，織布用紡車，漁獵用弓矢，運輸用人拉車或牛拉車，兵車用馬車，弓用心木，矢用銅鏃。這時，由田獵發展爲畜牧業，六畜具備，已掌握了一些飼養技術，但社會經濟生活還是以農業爲主。有幾個卦專記農事，反映了這個時期農業生產的技術水平。當時經濟生活中已有行商在活躍：行商有時借宿人家，有時住宿旅店，以販牛羊爲主，也販賣童僕，使用的貨幣先是朋貝，後是資斧（銅幣）。關於人們的物質生活水平，衣履有黃裳、鞶帶、履、朱紱、赤紱等字樣；住居有門、庭、家、屋、廟、宮、戶、牖、城、牀、枕、廬、隍、井、穴等字樣，可見既有宮室建築，而穴居仍然存在；器用則有土器（缶、瓶、甕……）、石器（圭、玉鉉……）、金（銅）器（矢、金柅、鼎……）、革器（鞶帶、括囊、鼓……）、木器（車、輿、柅、機、杌……）以及草編織用品等等。我們把這些零星的記載聚合到一起，不難對殷周之際和西周初期的社會生活樣式有個大致的了解。

尤其珍貴的材料，是卦爻辭中保存了原始社會的某些風習，其中主要是婚姻習俗。〈屯〉、〈睽〉、〈賁〉三卦分別寫對偶婚的求婚、訂婚、迎娶三個過程。〈屯〉、〈蒙〉二卦寫劫奪婚：女子被搶放聲悲泣，搶婚的男子被抗拒乃至送命。〈歸妹〉卦寫姐妹共夫。郭沫若在〈周易時代的社會生活〉一文中，還提出從《易經》中可以看到母系制的殘餘，也可作參考。這一類史料，在其他文獻中是罕見的。

再說思想史料

卦爻辭的記事或取象，必然反映記錄者的思想觀念。我們可以看到，這些思想觀念產生在奴隸社會繁榮的時期，它們在一定程度上反映了殷末和周初那個時代的社會進步要求。

《易經》中的經濟思想，首先突出的是重農思想。殷周之際農業生產已占社會經濟的主要地位，《易經》有幾個記農業生產的卦，不僅記載農業生產經驗，而且提出重視農業生產的意見。如〈小畜〉卦上九爻辭：「既雨既處，尚德載。」〈无妄〉卦六二爻辭：「不耕獲，不菑畬，則利有攸往。」前者說雨後還可以多栽種；後者說不耕種就要收獲，不開墾就要種熟地，都是妄想，妄想就不會有好結果。

這兩條的含義和周公在〈無逸〉中對周族子孫的告誡是一致的：施政之要，首在於人民足食。《易經》認識到農業的重要性，是符合社會進步要求的。《易經》的時代，雖以農業爲主，畜牧業仍是社會經濟的重要生產部門。《易經》中關於畜牧的爻辭約有十八條，表現了對畜牧業生產的肯定和對提倡畜牧業新技術的重視。所以，《易經》又是主張農牧並舉的。

殷周之際，工商已經有所發展，國家設專職機構管理奴隸從事手工業生產；行商則來往各地。有二十八條爻辭談工藝生產和工藝，十二條爻辭談商旅貿易和貨幣，表現了發展工商和重視財富的觀念。

《易經》的經濟思想，概括言之，就是重視農業，農牧並舉，發展工商，並且產生了貨幣觀念。

《易經》中的政治思想是殷周之際統治階級政治思想的反映。首先，它反映了「君權神授」的思想：〈師〉卦上六爻辭：「大君有命，開國承家」；〈大有〉九三爻辭：「公用亨于天子，小人弗克」；又上九爻辭：「自天祐之，吉无不利」等等。既然統治剝削的權力是神給予的，那麼，自然是統治剝削有理了。從卦爻辭中所見的社會各種人身份的稱謂來看，如統治階級中的天子、王、公、侯、武人、史巫……下及臣、妾、邑人、刑人、幽人、童僕等等，表現出鮮明的等級觀念。

爲了對平民和奴隸進行統治，統治者必須建立暴力的統治機器：國家、軍隊和監獄。卦爻辭中記載殷周之際的刑法和刑具的約十三條，作者基本上是站在統治階級立場上來記載的，其中頗有一些「利用獄」或「无不利」的斷占。在運用軍隊這個暴力機器時，其中有時也有保衞自己國家免受侵犯（「禦寇」）的記錄，較多的卻是關於征伐搶掠他國的記載，就其結果斷占，或爲凶，或爲吉。〈未濟〉卦九四爻辭：「震用伐鬼方，三年，有賞于大國。」〈既濟〉卦九三爻辭：「高宗伐鬼方，三年克之，小人勿用。」這兩條記的是一件事：殷高宗派軍隊去征伐一個名叫鬼方的部族，叫周派軍隊跟隨征伐，打了三年仗得到勝利，死了不少奴隸兵，高宗賞賜了隨征的周人。諸如此類戰事的記載，《易經》是作爲經常而且正常的事件的，其中有不少是對異族掠奪的戰爭。

《易經》中的道德倫理思想，是奴隸社會的道德倫理觀念的反映。它認爲「大人」和「小人」的不同地位，奴隸買賣，乃至殺死奴隸作獻祭之用，都是合理的。如〈旅〉卦九三爻辭說拿錢買來奴隸，是吉；九二爻辭說買來的奴隸逃亡是危險；這是奴隸主的道德觀念。〈升〉卦九二、〈困〉卦九二和〈萃〉卦六二的爻辭，都是說用俘虜和奴隸來獻祭先王，作者都斷占爲吉和利。作者對侵略戰爭也作同樣的理解。戰爭主要是掠奪土地、財物和奴隸，在寫戰爭的二十三條卦爻辭中，有十九條寫到俘虜。俘虜就是奴隸的來源，抓著俘虜，作者就斷占爲吉利。所以，在《易經》中買賣、殺害奴隸、掠奪俘虜都不是罪惡，而是符合道德規範甚至是勇敢和光榮的行爲。

《易經》中的社會史料和思想史料，是我們研究上古社會形態和上古思想史所不可缺少的重要材料。

❖爻辭的文學價值

《易經》卦爻辭中有一部分是韻文。有人說約三分之一，有人說有一半以上。由於語言音義的變化，這已經很難確考。不過，從部分字音和語辭結構來看，其中有相當一部分韻文則是可以斷定的。因此可以說：在卦爻辭中保存著我國最早的韻文。

這些韻文之中，有類似比興的詩歌，看以下二例：

〈明夷〉卦初九爻辭：「明夷于飛，垂其翼。君子于行，三日不食。」（鳴鵜天上飛翔，翅膀搭拉下來。君子在旅途中跋涉，三天挨餓忍飢。）它以鳴鵜于飛起興，用垂其翼來比旅人忍飢挨餓的形象，「翼」、「食」同韻相叶，隔句押韻。把這首詩歌和《詩經、小雅、鴻雁》相比：「鴻雁于飛，肅肅其羽。之子于征，劬勞于野。」和〈邶風・燕燕〉：「燕燕于飛，差池其羽。之子于歸，遠送其野」相比，再和〈豳風・東風〉：「倉庚于飛，熠熠其羽。

之子于歸，皇駁其馬」相比，它們從內容、語言結構、辭彙運用和表現手法都很相似，可說是同類的歌謠。

〈中孚〉卦九二爻辭：「鳴鶴在陰，其子和之。我有好爵，吾與爾靡之。」（鶴兒鳴叫在樹蔭，它的伴侶來和鳴。我的杯中有美酒，我和你一同乾杯。）這也是一首比興詩歌，按古音隔句押韻；以鶴和鳴，托物起興。這和〈小雅．鶴鳴〉相比：「鶴鳴于九皐，聲聞于野。魚潛在淵，或在于渚。樂彼之園，爰有樹檀。」也相類似。

如果說這兩首歌謠體的詩歌與周詩《詩經》之〈風〉、〈雅〉中的作品相類，可以表明它們大致是同一時代流傳的歌謠；那麼，《易經》爻辭中還保存著從更早的時代——殷周之際流傳下來的歌謠，反映了我國詩歌更早的風貌。再看以下二例。

〈賁〉卦六四爻辭：「賁如，皤如，白馬翰如，匪寇，婚媾。」（跑啊跑，太陽像火燒，白馬揚頭奔馳。不是來劫掠，是來把親搶。）〈屯〉卦六二爻辭只改幾個字，含義、語辭結構和韻律相同。

〈離〉卦九四爻辭：「突如其來如，焚如，死如，棄如。」（衝啊攻啊，燒啊，殺啊，抓著孩子就摔啊。）這裡描寫的是侵掠性的毀滅戰爭，節奏短促，有明顯的韻律。

把這樣的歌謠和《詩經》中的歌謠相比，就能清楚地看到它們的不同：《易經》的這類爻辭，內容單純而語言簡古；《詩經》的民歌，則內容豐富而語言流暢。《易經》爻辭的比興手法和疊字詞的運用以及韻律，都為《詩經》所進一步發揮、充實和提高。從爻辭到《詩經》的民歌，反映出我國上古詩歌發展的軌迹。

卦爻辭的散文記事中，還保存著古老的故事傳說，已如前所述。《易經》中的記事太簡單，它記錄的故事傳說，實際只能算是故事的雛型。它們也反映了我國記事散文的古老風貌。它和卜辭相比，又顯得詞句變化明了一些，內容也多少豐富一些，代表殷周之際我國散文的水平。

第二節　《易傳》

《易傳》是對《易經》的解說和論述。

《易經》在春秋時代已廣為流傳，《左傳》和《國語》都有大量用《易》占筮的記事，也記載當時就有人講述八卦之象。春秋末年的孔子讀《易》韋編三絕，自述說：「五十以學《易》，可以無大過矣。」他對學生講《易》的記錄，有一些傳了下來。晉代所發現的戰國魏襄王墓中的竹書《易經》，就另有解說的彙編。一九七三年湖南長沙馬王堆三號漢墓出土的帛書《周易》，有經，也有一部分傳。這可以證明：原來經是經、傳是傳，二者是分開的。從漢末到晉，經過一個較長的過程，才把傳分開與經合編在一起，成一本書。《易傳》通過對《易經》的解說和論述，大大地加强了《周易》的哲學內容，使之成爲一部內容豐富的、極有價値的哲學著作。在中國古代哲學史上，它承先啓後，以後的歷代學者在這個基礎上進行研究和發揮，發展了中國古典哲學；其長處和短處，都產生了深遠的影響。

❖《易傳》的時代和作者

《易傳》共七種十篇，它們是：〈彖〉上、下，〈象〉上、下，〈文言〉，〈繫辭〉上、下，〈說卦〉、〈雜卦〉、〈序卦〉。這十篇，稱《十翼》。「翼」即「羽翼」，即「輔」的意思，是輔助理解經文的，又稱《周易大傳》。

《十翼》是什麼人著的，產生於什麼時代？這是兩千多年來不斷討論的問題。

司馬遷《史記．孔子世家》說：「孔子晚而喜《易》，序〈彖〉、〈繫〉、〈象〉、〈說卦〉、〈文言〉。」班固《漢書．藝文志》也說：「文王以諸侯順命而行道，天人之占，可得而效，於是重《易》六爻，作上下篇。孔子爲之〈彖〉、〈象〉、〈繫辭〉、〈文言〉、〈序卦〉之屬十篇。」這個說法在漢、唐相沿，都說《易傳》的作者是孔子，並由此產生所謂「易歷三聖」之說，即伏羲畫卦、文王作爻辭、孔子作十翼；或所謂「易歷四聖」之說，即再加上周公作爻辭。這樣，用一層層神聖的靈光，把《周易》神聖化。

北宋歐陽修開始提出懷疑。他說：「〈繫辭〉……〈文言〉、〈說卦〉而下，皆非聖人之作，而衆說淆亂，亦非一人之言也。」（《易童子問》）他的根據是：〈文言〉、〈系辭〉和〈說卦〉相互抵牾，〈繫辭〉前後自相矛盾，所以，「余之所以知〈繫辭〉而下非聖人之作者，以其言繁衍叢脞而乖戾也。」不過他仍承認孔子的〈彖〉、〈象〉的著作權。到清代，姚際恆著《易傳通論》，康有爲著《新學僞經考》，就完全否定了孔子的著作權，斷言《易傳》全非孔子所作，這個說法也得到一些人的擁護。

「五四」以後，二十年代後期中國學術界有一次《周易》年代和作者問題的討論；六十年代初，又對這個問題展開一次討論；直到八十年代的「周易熱」，學者們還是各說各的，仍有不同的認識，其代表性意見，可以歸納以下兩方面的論點：

一方面的論點是基本沿襲司馬遷的記載。如范文瀾認爲：「孔子曾用大功夫鑽研卦辭、爻辭，作爲儒家的哲學思想傳授給弟子，孔子講說的記錄及後來《易》大師的補充，總稱爲《易傳》，或稱《十翼》。」⑪任繼愈認爲：「舊說〈繫辭〉是孔子所作，現在從階級觀點、時代特徵來看，這個說法是有些根據的。」⑫匡亞明舉出長沙馬王堆漢墓出土的帛書《易》，該書卷後附有佚書〈要〉等兩篇記錄孔子與其弟子研討《易》理的問答，並結合其他佐證，認爲「孔子晚年確曾鑽研過《周易》，並且進行講授，在講授過程中可能作過整理，加入一些自己的體會和說明。因此，司馬遷所說的『孔子晚而喜《易》』、『孔子傳《易》於瞿』等語，還是比較可信的。」⑬郭沫若在一九二七年寫的〈周易時代的社會生活〉文中說：「孔子是研究過《易經》的；他對於《易》理當然發過些議論，我們在《易傳》中可以看出不少的『子曰』云云的話，這便是證據。大約《易傳》的產生至少是像《論語》一樣，是出於孔門弟子的筆錄吧。」⑭

另一方面的論點是否認孔子的著作權，然而，他們對《易傳》作者和時代的解釋又互有出入。馮友蘭說：「舊說《十翼》都是孔子所作，其實，這些篇並不是一個人作的，也不是一個時候的作品，大概說，是戰國末至秦漢之際儒家的人的作品。」⑮李鏡池認爲：「〈彖〉、〈象〉的時代在秦漢之際，其他在司馬遷之後的昭、宣之間和昭、宣之後」⑯；錢玄同也認爲有西漢中期的作品⑰。高亨則提出不同看法，他說：「說《十翼》中有漢人作品，並無堅確的論據。管見以爲《十翼》都寫於戰國時代，正如歐陽修所說『非一人之言』，〈彖〉、〈象〉比較早些，可能在春秋末期。」⑱

根據以上意見，我們求同存異，斟酌取捨，關於《易傳》的時代和作者問題，在沒有發現確鑿的新史料以前，可以大體上得出這樣的認識：「《易傳》基本上成書於春秋末年至戰國後期，不成於一時，也不成於一人之手。書中有孔子講授《易經》的記錄，這從其中有「子曰」云云的明顯標記，以及發揮的哲學政治思想有許多與孔子的思想完全一致，可以作爲證明；但是也有孔子的門人及戰國的儒家學者撰寫的，這從書中有些思想和文句與《孟子》一致，也可以證實。我們再從魏墓竹書和漢墓帛書來檢驗，其經文卦次、解說文字均與今本《易傳》不同，說明《周易》在西漢時代又經過編訂，對《易傳》又有補充和修訂，所以《十翼》中的有些篇章又帶有西漢時代的痕迹。應該說《易傳》基本上成書於春秋末年至戰國後期，再經西漢學者的編訂，這正是中國由奴隸社會轉化爲封建社會的社會大變革時期。《易傳》的思想是這個社會大變革時期的產物。」

這七種十篇文章各有各的內容和用途。前面已經說過，它們原來與《易經》是分開的，從東漢末年以後，才逐步相合起來，到晋代才逐篇或逐段分開與經文合編在一起，經傳相合。

〈彖〉上、下：主要解釋卦和卦辭，斷定一卦的基本觀念和卦辭的基本觀念。大約產生在春秋末期。經傳相合後分編在六十四卦經文之後，言前標「彖曰」。

〈象〉上、下：解釋卦的象徵意義。其中說明卦辭的部分在於解釋上、下卦的象徵，稱作「大象」，通常的方式是解釋上三畫的卦象徵什麼、下三畫的卦象徵什麼，二者重疊又象徵什麼。其中說明爻辭的部分在於就該爻的位置，結合爻辭解釋該爻的基本觀念，稱作「小前標「象曰」。

象」。大約完成於戰國中、晚期。經傳相合後分編在六十四卦各卦卦辭和各爻爻辭之後，言

〈繫辭〉上、下：總論《易經》的基本意義，是《易經》的總體概論（通論），由春秋末至戰國晚後期的許多闡明《易》理的記錄連綴而成，內容較雜亂。其中闡釋《易經》哲學觀念的文字，是重要的哲學論文，把《易經》由卜筮書提高到哲學的意義上。它總論全經的哲學觀念，並闡發這些觀念如何普通應用於自然和社會。它無法分編，經傳相合後附於全書書後。

〈文言〉：解釋〈乾〉、〈坤〉兩卦卦辭和爻辭，將這兩卦的〈彖〉和〈象〉作進一步的推衍和解說，著重闡揚儒家的倫理道德思想。大約作於戰國晚後期。經傳相合後分編在〈乾〉、〈坤〉兩卦卦辭和爻辭之後，言前標「文言曰」。

〈說〉卦：總說八卦所象徵的物象及其重疊推衍成六十四卦的原理。約爲西漢前期所補充。附於全書書後。

〈序〉卦：對六十四卦排列次序的說明。約爲西漢前期所補充。附於全書書後。

〈雜〉卦：雜論卦與卦之間的關係，將性格相反、或性格交錯的卦，兩卦並列，論述剛柔相濟的道理。寫於西漢前期。附於全書書後。

這十篇寫作時間有先有後，但都反映了這個大時代的哲學、政治和倫理道德思想的發

展。

❖《易傳》的哲學思想體系

《易傳》通過對《易經》的卦、卦辭、爻辭所作的說明、解釋和補充、發揮，吸取和改造戰國時代各學派的哲學觀念，發展了《易經》所蘊含的哲學思想。它已經不是《易經》所表現的那樣簡單、片斷、粗淺的初級形式，而具有議論、闡述、思辨的內容，初步地構成了比較完整的哲學思想體系，反映了中國古典哲學在戰國時期和西漢前期的發展，茲就其本體論和方法論兩個方面的精華大略陳述。

先談本體論

在六十年代前期的《易》學討論中，對《易傳》的本體論問題有不同的認識。我們還是看看它的主要觀點吧。

一、「**盈天地之間唯萬物**」。〈序〉卦說：「有天地，然後萬物生焉，盈天地之間唯萬物」，它提出「自然之天」的命題。〈說〉卦又說明世界萬物是由天、地、雷、風、水、火、山、澤八種物質構成的，並依據這八種物質所具有的性質和作用，對形形色色的萬事萬物進行概括和分門別類。「大哉乾元，萬物資始」（〈乾・象〉），「至哉坤元，萬物資生」（〈坤・象〉），「天地絪縕，萬物化醇，男女構精，萬物化生」（〈繫辭下〉）。萬物構成宇宙，而萬物又互相聯繫，互相作用化生，它所描述的客觀世界，這是古人長期觀察世界而形成的總結，對神學世界觀是一個大突破。

二、**「天行健，君子以自強不息。」**這是〈乾・象〉中的一句名言。「行」指運行，「健」是剛健中正。它認爲，宇宙、自然和人類社會的法則，即天道、地道、人道是一致的，天的運行剛健中正而永不衰竭，因此，君子也應該奮發圖強、積極進取，不斷更新。這個觀點是對天道的新解釋，也是對以神明爲主體的天命論的否定。

三、**「象數」之論**。〈繫辭下〉說：天地未分之時，最原始的統一體是太極，太極生兩儀，兩儀生四象，四象生八卦，乃至六十四卦，八卦和六十四卦是「象」，它們體現了萬事萬物的發展變化法則叫做「數」。《易》中的象數體現了宇宙的法則，即體現了天道、地道、人道，人們通過占筮，便可以得知象數，而預知事物未來的發展變化，按天道行事趨吉避凶。

再談方法論

《易傳》把《易經》所體現的樸素的辯證法思想因素，作了理論的概括和系統的發展，主要內容有以下幾點：

一、「**一陰一陽之謂道**」（《**繫辭上**》）《易傳》把陰和陽認爲是萬事萬物的兩種屬性和作用，用這兩個概念概括自然界和社會萬事萬物對立的兩面，整個世界是若干不同層次的屬性對立的事物構成的。〈說〉卦說：「立天之道曰陰與陽，立地之道曰柔與剛，立人之道曰仁與義」；它進而用陽象徵天、日、父、男、上、前、明、往、晝、尊、貴、仁、福等等一切積極性事物，屬於陽、剛、動；陰象徵地、月、母、女、下、後、暗、來、夜、卑、賤、義、禍等等一切消極性事物，屬於陰、柔、靜。這些對立的事物相反相成，互相對立又互相依存。

二、「**爲道也屢遷。**」（《**繫辭下**》）這是提出事物處於不斷變化發展的過程之中，稱之爲「變化之道」。它說：「變動不居，周流六虛，上下无常，剛柔相易，不可爲典要，唯變爲適。」變是宇宙的普遍規律，一切事物都不是固定的，而處於不停的運動和轉化之中。那麼，事物爲什麼會變化呢？它認爲是由於事物對立的屬性和作用，「剛柔相摩，八卦相蕩」，「剛柔相推而生變化」。相摩相推而生變化，即我們現在所說的事物互相作用、推動事物的發展變化。

三、「**物極必反，生生不已之謂易**。」〈繫辭〉又說：事物發展到極限就要向反面轉化，上下、剛柔、强弱、盈食、泰否、損益……都是會轉化的。這樣的論述很多，如〈豐、彖〉：「日中則昃，月盈則食」，〈序〉卦：「物不可以終通，故受之以否；物不可以終否，故受之以同人。」「損而不已必益，故受之以益；益而不已必央。」《易傳》認爲轉化是不斷地由新事物代替舊事物，它强調一個「生」字，一個「新」字。《繫辭上》說：「日新之謂盛德，生生不已之謂易。」《繫辭下》又說：「天地之大德曰生。」《易傳》的這些發展變化的觀點，演化成爲中國人民歷代有益的格言，如物極必反，否極泰來，窮則變，樂極生悲，居安思危等等。

從以上主要幾點來看，《易傳》限於當時自然科學發展的水準，論述還不夠透徹和完備，仍未完全脫離原始的、樸素的階段，但是它確實抓住了辯證法的核心。

在整個《易傳》中，它的哲學方法論又常常有自相矛盾之處，反映了它的辯證法思想也是不徹底的，這主要表現於以下的論點：

一、「**無往不復**」，「**乾坤定位**」。《繫辭上》說：「日往月來，月往日來，則明生焉；

寒往暑來，暑往寒來，則歲成焉。」這種周而復始的循環運動，在自然界如此，在社會歷史也如此，它說：「天尊地卑，乾坤定矣，卑高以陳，貴賤位矣。」這就是所謂「變中有不變」，萬物在變，但是天尊地卑是乾坤的既定法則，卑高貴賤是社會上確定不移的地位，它們是不能變的。〈解．象〉又說：「負也者，小人之事也；乘也者，君子之器也。小人而思乘君子之器，盜思奪之矣；上慢下暴，盜思伐之矣。」在這裡，它論證了封建統治秩序的合理性和永恆性，是形而上學。

二、「**先天之道**」。〈繫辭上〉宣揚「《易》與天地準，故能彌綸天地之道」，它「範圍天地之化而不過，曲成萬物而不遺」，「引而伸之，觸類而長之，天下之能事畢矣。」這是說《易經》卦象中包羅宇宙萬物變化的法則，世界上一切事物可能有的變化之數，都可以由它類推和演繹出來，依靠它就能解決一切問題，它是永恆不變的絕對眞理。它說：聖人精研《易》理而知天道、地道、人道，創造社會的物質文化和精神文化，諸如網罟、耒耜、舟楫、衣裳、杵臼、弧矢、宮室、棺槨、書契、服牛乘馬等等，都是聖人取法於卦象，「觀象製器」而創造出來的。照這樣的解釋，它是用一種永恆不變的精神（道——易理）來代替上帝（神），認爲易象及其易理是事物的本源，先天的絕對眞理。

❖《易傳》的社會政治思想

《易傳》通過對《易經》的解說，發揮儒家的社會政治思想，是其哲學思想體系在社會政治思想領域的具體運用，對孔孟思想進行發揮和改造。概括其要點如下：

一、「湯武革命，順天應人。」這是《易傳》中一句很有影響的名言。〈革・彖〉說：「天地革而四時成，湯武革命，順乎天應乎人，革之時大矣哉！」這裡所說的「湯武革命」，指湯伐夏桀建立商朝、武王伐紂建立周朝，「革命」一詞和現代的意義不同，指革去暴君桀、暴君紂所受之天命，由湯、武受天命建立新朝代。《易傳》對這兩次政治變革，熱烈地贊揚它們是符合天道和順應人心的偉大行動。儒家認為，應該是「聖人」（有極高道德和極高智慧的人）治世，上天授予其統治四方民眾的王位，使之對民眾實行德治，這就是天命。如果他失德，上天就會奪去他所受的天命，而另以有德者來代替。春秋末年的孔子積極提倡德治，但是堅決反對臣弒君，對湯武革命的問題沒有直接論述。後來孟子才具體回答這個問題：「聞誅一獨夫紂，未聞弒君也。」《易傳》繼承和發揮孔孟的思想，作了積極的明確的表達。〈文言・坤〉的解釋又進了一步：「積善之家，必有餘慶；積不善之家，必有餘殃。臣弒其君，子弒其父，非一朝之夕之故，其所以由來者漸矣。」這是為「臣弒君」辯護的。

二、理想社會。〈家人．象〉提出一個以一家一戶爲生產的基本單位，每個家庭中男外女內，家長有絕對權威（嚴君），家庭成員之間實行父父、子子、兄兄、弟弟、夫夫、婦婦的倫常關係。這是一個以封建自然經濟爲基礎的小農經濟和宗法家長制相結合的典型封建社會藍圖。

這樣的社會是誰來治理呢？〈說〉卦說：「聖人南面而聽天下，嚮明而治。」由智慧非凡、品德出衆的人光明正大地來管理天下。〈繫辭下〉提出帝王的三大任務：一是「通天下之志……吉凶與民同患」，意思是溝通天下的思想意志，全國上下團結，帝王以身作則，與人民同甘共苦。二是「定天下之業」，即安定國家，建立國家禮儀和典章制度，發展生產和貿易使國家富裕，管理財政。三是「決天下之疑」，即一切疑難之事由帝王決斷。帝王又如何決斷呢？占卜，八卦包羅天道、地道、人道，能提供一切問題的答案。這實際上是君主專制和迷信統治。

《易傳》的理想社會，是在小農經濟和宗法家長制的基礎上，建立君主專制的封建國家，其目標是通過封建專制國家來發展國民經濟，實現社會安定和富裕。它把實現這一目標的希望，寄託予「聖人」作帝王。但是兩千餘年，從來沒有出現過這樣的帝王，這是永遠也不會實現的。

三、實行德治，德刑調和。孔子提倡的「德治」，是《易傳》的政治指導思想；主要有四個方面：

第一，是「尚賢」，即孔子所說的「舉賢才」，反對「親親」制度，主張「尚賢」制度。所謂「親親」制度，是指奴隸制國家以血緣關係受爵祿的用人制度；所謂「尚賢」制度，是指以功授爵祿和以才德授爵祿的用人制度。要「尚賢」，就要「養賢」，即養育賢才和培養人才。〈大畜．彖〉：「不家食，吉，養賢也。」「天地養萬物，聖人養賢以及萬民。」

第二，是「正位」，即維護尊卑、貴賤的封建等級差別，各守其位。《易傳》認爲這是實施德治的前提。〈漁．象〉：「王居无咎，正位也。」「貴而无位，離而无民，賢人在下位而无輔，是以動而有悔也。」（〈繫辭上〉）「位」是什麼？是尊卑、貴賤、上下的位置，它們的具體表現就是「禮」，各個等級的人都按「禮」來規範自己的行爲。人們能各守其位，統治階級就平安大吉；反之，國家就要亂，統治階級就有危險。實行德治，是按照「禮」的等級規定來實行。

第三，「愼刑明罰」。實行德治，又不能不要法。犯了法，要治罪，給予刑罰。《易傳》提出明、寬、愼的法治主張。〈解．象〉說：「君子以明愼用刑而不留獄。」明，是處理案件清明，不搞寃假錯案；愼，是用刑謹愼，不能濫施，一定要罪刑得當；寬，是處理從寬，不能嚴酷，如〈解．象〉：「君子以赦過有罪」，〈中孚．象〉：「君子以議獄緩死。」例如判死刑緩期執行等等。

第四，「裒多益寡，上以厚下」（〈中孚．象〉、〈謙．象〉）。裒多益寡，即取有餘，補不足；上以厚下，即損上益下，讓統治階級犧牲一些利益，使人民能夠安居樂業。這個主張在封建社會很難行得通，即使偶有實行，也是不徹底的，北宋王安石變法，說過「損有餘以補不足，天道也。」他的變法以失敗告終。

第三節 《周易》的解說和研究

《周易》本是占筮用書，自從經和傳結合之後，便成爲一部內容豐富的哲學著作。它是士大夫必讀的高深教科書，歷代學者對它進行研究和發揮，現存的注本和論說不下兩三千種。現代人們仍然把它視爲中華民族傳統文化的一份哲學遺產，在國內外哲學界都有深刻的影響。

兩千餘年，《周易》的解說和研究，內容豐富，著作如林，直至當代，仍是人們熱烈討論的課題。

❖漢儒象數和魏晉玄理

前面曾經敘述，從《左傳》、《國語》的占筮記事證實，春秋時代已有對《易》象的解說和研究。從戰國魏墓竹書中有〈說〉卦殘篇，可以證實戰國時已經流傳這樣一些比較深入研究的文字。從漢墓帛書中有〈繫辭〉、〈說卦〉（前三章），可以證實《易傳》中的許多篇章已經流傳到西漢初年。儘管《易傳》中的文字有西漢前期漢儒的增補，但它在戰國時代已基本成書，可以說是戰國時期《易》學解說和研究資料的總匯。

秦代焚書，《周易》因爲是筮書不在被焚之列，得以完整地保存並流傳。漢代仍重視占筮，《易傳》的哲學和社會政治思想再加以發揮或充實改造，對於建立統一帝國是有用的，所以尊爲「羣經之首」，而且盛傳所謂「三世三聖」之說，給它加上神聖的光環。漢代經學興盛，《易》學相應發展。皮錫瑞《經學通論》說：「賈（誼）董（仲舒）漢初大儒，其說《易》皆明白正大，主義理，切人事，不言陰陽術數，蓋得《易》之正傳。」⑲後來先後衍化繁雜的流派，《漢書．藝文志》記有十三家，其中施讎（仇）、孟喜、梁丘賀、京房、殷嘉五家均爲今文經學，立爲博士；費直、高相二家爲古文經學，未立學官，在民間傳授。今文經學諸家重在象數，或嚴守師法，章句趨向繁瑣，如施讎、梁丘賀諸家，乃至改換卦爻，强解經文；或講陰陽災異，融入方士術數，如孟喜、京房、殷嘉諸家；或二者兼之，到東漢乃至和讖緯迷信相結合。因此，今文諸家至東漢後期即已衰微。⑳古文費直的《易》學，無章句，根據《易傳》解說經意，內容重在義理，在民間廣爲傳授，東漢後期大儒都學費氏《易》。鄭玄作《周易》注，即基本根據費氏《易》，並開始將《易傳》的〈彖〉、〈象〉分開與經文合編，同時也適當吸取今文《易》學的象數之論，實現漢今、古文《易》學的合流，曾長期流傳。從以上概略敘述來看，漢代《易學》以傳解經、闡發象學義理爲主流，今文諸家的災異、讖緯和箋注煩瑣的一時盛行，則是走了彎路。

到了魏晉，玄學興盛，魏．王弼和晉．韓康伯依費氏舊本，吸取老莊學說，援道入儒，將《十翼》分開與《易經》合爲一書。王弼本來是著名的玄學家，他以儒道結合的玄學思想體系，對六十四卦作了思辯哲學的精緻解說，他摒棄漢儒災異、讖緯之學，收摧毀廓清之功；文辭雋永簡約，也一反漢儒箋注繁瑣之風。此後，王、韓《周易注》漸次取代漢以來諸家《易》說，並與《老子》、《莊子》合稱「三玄」。入唐後，孔穎達又爲之「正義」，頒爲官定本，即今通行《十三經注疏》所收之本。

王弼、韓康伯《周易注》的出現，是《易》學史上的一個大轉折點。它從《易》學中摧毀廓清了漢代災異讖緯等妄誕的神學內容，把道家的玄理融進儒家哲學，豐富和發展了中國古典哲學，開後世義理派之先河。

❖宋學圖書派和義理派

宋學反漢學，《易》學在宋代也大變。北宋各大學者、大作家都有《易》說，派別衆多，但主要是圖書派和義理派。

圖書派的創始人是宋初道士陳摶，他融合儒學、道家和佛學學說，創作《易龍圖》。「龍圖」，見〈繫辭上〉云：「河出圖，洛出書，聖人則之。」漢儒解釋：伏羲時有龍馬出於黃河，馬背有旋毛如星點，稱作龍圖。伏羲取法以畫八卦生蓍法。夏禹治水時有神龜出於洛水，背上有裂文如文字，禹取法而作《尚書．洪範．九疇》。圖書派即由「河圖洛書」而得名，他們企圖從「圖」「書」說明《周易》及其卦象的起源，象數盡蘊其中。圖書派有三家：一是以邵雍爲代表的「先天圖」學，邵氏傳有「先天八卦圖」（及由其變化的「後天八卦圖」），鼓吹先天象數學，把《周易》歸結爲象和數，並推衍出宇宙發生的圖式。他的象數學對宋明理學的產生很有影響；其中也蘊涵著中世紀數學的精蘊，表現出哲人的睿智，不無可取之處。

二是以周敦頤爲代表的「太極圖」學，認爲天地萬物都從一個本體「太極」演化而來，太極一分爲二生出陰陽，再二分爲四生出四象（日月星辰），再四分爲八生出八卦，再八分爲十六生出寒暑晝夜雨風露雷性情形體飛走木草，依次分化而生出世界萬物。

三是以劉牧爲代表的「河圖洛書」學。其實三家都把《周易》象數溯源於河圖洛書。漢儒關於河圖洛書的傳說本是無稽之談，對繪出並印在《周易》卷首的〈河圖〉〈洛書〉長期無人能解。圖書派解說象數以及由此衍化出的各種圖書，並無科學意義，它們只反映了他們這一代人，試圖把象數哲理與自然科學相結合的一種努力，開拓了結合數學、化學、物理學、天象學來研究哲學的新途徑。〈河圖〉、〈洛書〉究竟是什麼？清初黃宗羲認爲是圖經和地理志。今人韓永賢認爲〈河圖〉是上古遊牧時代的氣象圖，〈洛書〉則是上古遊牧時代的方位圖。㉑圖書派所謂「作《易》本源精微之義」蘊於其中，乃屬附會。

義理派的創始人是胡瑗。《周易口義》一書是其弟子所記述的他的講學記錄，後人又稱《易解》。這部書專談「變易之道」，〈發題〉說：「蓋變易之道，天人之理也。以天道言之，則陰陽變易而成萬物，寒暑交易而成四時，日月變易而成晝夜。以人事言之，則得失變易而成吉凶，情僞變易而成利害，君子小人變易而成治亂。」書中掃除了西漢的陰陽災異之說、東漢的讖緯神學之說、魏晋的玄學之說以及釋家神學之說，而致力於倡明儒學，闡發人生吉凶消長之理，進退存亡之道，以教人修身治國之方，開創了宋代《易》學的義理一派。㉓北宋理學奠基者程頤，本胡瑗之說來注解《周易》，成《伊川易傳》㉓和《經說·易說》。他進一步發揮儒家的義理，探究心性、天命和道德哲學，構成以天理爲核心的《易》學思想。如釋〈恆〉卦：「天地之所以不已，蓋有恆久之道。人能恆於可恆之道，則合天地之理也。」釋〈繫辭〉：「有理而後有象。」釋〈艮〉卦：「夫有物必有則……萬物庶事莫不各有其所，得其所則安，失其所則悖。」他所闡釋的「理」、「則」，即所謂先天固有的「三綱」（君臣、父子、夫婦）「五常」（仁、義、禮、智、信）。他的《易說》匯合他對《論語》、《中庸》、《孟子》等經典的闡釋，創始了新儒學，爲統治思想界幾百年的理學奠定了基礎。

南宋朱熹也很重視《易》學，撰述《易》學著作七種，以《周易本義》爲代表。朱熹繼承並發展了程頤的理學思想，大力發揮理學的心性、天命、道德之學，完成了程朱理學。書題「本義」，即探究《周易》的源本意義，他說伏羲以前並無文字只有圖書，所以圖書中有《周易》的本源精微之義。他也吸取圖書派的象數學，也在《本義》的卷首印上圖書派繪製的九種圖，論說太極、無極、先天、後天，達到義理、象數兼論。後來，明清的《易》學都以程朱《易》學爲主體，以《伊川易傳》和《周易本義》爲讀本，尤以《周易本義》爲法定的考試標準本。臺灣孫振聲的《白話易經》，就是今人根據程朱《易》說講解《周易》的。

❖現代《易》學

《四庫全書總目・易類小序》曾經說過：「《易》道廣大，無所不包，旁及天文、地理、樂律、兵法、韻學、算術，以逮方外之爐火，皆可援《易》以爲說，而好異者又援以入《易》，故《易》說愈繁。」清・皮錫瑞《經學通論》說：「說《易》之書最多，可取者少。」《周易》主要是哲學著作，哲學是研究自然界和社會的共同法則的學問，它旁及自然科學和社會科學的各個學科是當然的。過去的義理派主要著重於治國修身的道德哲學和歷史哲學，作爲一定歷史時代的產物，它們有其歷史的意義，從總體而論卻談不上「科學」。過去的象數派及其分支圖書派，雖然涉及到自然科學的諸多領域，限於當時的自然科學水平，也有許多繁雜、幼稚乃至荒誕的內容。以正確的世界觀和方法論爲指導，在現代自然科學和社會科學的基礎上，總結前人的《易》學成果，重新研究這部古老的經典文獻，這個責任落在現代學者肩上。

近人尚秉和積數十年之力，撰成《周易尚氏學》，對早期《易》的象學多所闡發。于省吾爲序說它：「解決了舊所不解的不可勝數的《易》象問題」，舊學新知，爲學術界推重。

現代學者的《易》學，較之古代有很大進步。如以郭沫若爲代表的一派學者，開始試圖對卦爻辭作新的解釋用以分析古代社會；以顧頡剛爲代表的古史辨派，以新史學的疑古精神對

《周易》追本溯源，科學地考察其內容；以聞一多爲代表的新訓詁義疏一派，則試圖科學地考訂訓詁，鈎稽古史資料；以馮友蘭、任繼愈爲代表的哲學家們，則結合現代哲學的成就考察《周易》的哲學思想；高亨則繼承清代樸學方法，致力於經、傳的訓詁。還有許多學者的義理探討，都具有新意，曾進行過多次全國性的公開學術討論。

半個世紀以來，港臺和海外的《易》學也很興盛。國際現代哲學思潮是企圖創建現代哲學新體系，西方學者轉向重新評估東方——尤其是中國的傳統哲學，所以首先注意它的母體《易》。中國現代新儒學的影響逐漸擴大，而現代新儒家的先驅人物正是由學《易》而歸儒，他們歸儒也主要是返歸宋明而發展和深化《易》理的心性之學；又與之和現代科學相結合，試圖溝通融會中西哲學，使之現代化。現代新儒家和歐美學者的研究，主要是高層次的哲學研究。

無論國內，或是國外，都不乏可喜的研究成果，其中各種意見的分歧乃至失誤，都是科學研究的正常現象。至於近年興起的「周易熱」，其中固然有嚴肅的科學的研究，也有假科學研究之名兜售僞科學，乃至極端落後腐朽的占筮迷信死灰復燃，需要我們勸羣衆不要上當受騙。

注釋

①戰國魏襄王墓出土竹書《周易》，分上、下篇，只有經，沒有傳。一九七三年湖南長沙馬王堆三號漢墓出土帛書本《周易》，有經，另外有傳。東漢末年鄭玄才把《易傳》中的〈彖〉和〈象〉同經文編在一起，即在每卦卦辭後附〈彖曰〉、〈象曰〉，在每爻爻辭後附〈象曰〉。以後又陸續有人把〈文言〉附在〈乾卦〉和〈坤卦〉後面，把《易傳》的其餘四篇附在整個經文後面。到魏代王弼、晉代韓康伯作《周易注》，已經成爲現在這樣的形式，並通行下來。通行的《十三經注疏》收的就是王弼、韓康伯注、唐孔穎達正義。現在還有人說經和傳原來就是不分的，也不能分開，這是根本不了解《周易》史。

②參考高亨《周易筮辭分類表》；見《周易古經今注》卷首第四篇，中華書局一九八四年重訂本。高氏分記事之辭，取象之辭、說事之辭、斷占之辭。

③顧頡剛《周易卦爻辭中之故事》，見《古史辨》第三冊。

④郭沫若〈周易時代的社會生活〉，見其文集《中國古代社會研究》，《郭沫若全集歷史編》第一卷。

⑤一九八〇年張政烺辨識，是近年考古學重要成果之一。

⑥司馬遷〈太史公自序〉。

⑦司馬遷〈日者列傳〉。

⑧班固《漢書・藝文志》。

⑨參考孫振聲《白話易經》（台灣版）及高亨《周易古經今注》有關章節。

⑩每卦六爻，只有〈乾〉卦多一爻爲用九，〈坤〉卦多一爻爲用六。占筮時，〈乾〉卦六爻全是變爻，斷占看用九；〈坤〉卦六爻全是變爻，斷占看用六。

⑪范文瀾《中國通史簡編》修訂本，第一冊一三九頁，人民出版社，一九五三年。

⑫任繼愈〈易經和它的哲學思想〉，《光明日報》一九六一年三月三十一日。

⑬匡亞明《孔子評傳》第八章，三五一頁，齊魯書社，一九八五年。

⑭一九三五年郭沫若氏寫〈周易之製作時代〉一文（收入《青銅時代》一書），又否定了自己這個意見，他不僅認爲《易經》是戰國初年的作品，而且認爲《易傳》大部分「是秦時代的荀子的門徒們楚國的人所著」，並特地證明「孔子與《易》並無關係」。他的這個論斷，當然是失誤的。

⑮馮友蘭〈易傳的哲學思想〉、《哲學研究》一九六〇年七—八期。

⑯李鏡池《易傳探源》，又《周易通義》前言，中華書局一九八一年版。

⑰錢玄同〈讀漢石經周易殘字而論及今文易的篇數問題〉，見《古史辨》第三冊。

⑱高亨〈試談周易大傳的哲學思想〉，《學術月刊》一九六一年十一期。

⑲賈、董說《易》可見賈誼《新論》，董仲舒《春秋繁露》。

⑳漢今文《易》學多已亡佚，今僅存《京氏易傳》，有四部叢刊本。另有《周易乾鑿度》，撰者不詳，有許

多荒誕內容，有《四庫全書》本。

㉑見《內蒙古社會科學》一九八八年二期。韓永賢的考察和清初黃宗羲的論斷基本是一致的，是一個有價值的發現。黃宗羲的論斷見其〈萬公擇墓誌銘〉一文。

㉒胡瑗（西元九九三～一〇五九年），北宋著名教育家、經學家，弟子數千人，與孫復、石介並稱「宋初三先生」，倡導「以仁義禮樂爲學」，在理學史上處於「開伊洛之先」的地位。《周易口義》有《四庫全書》本。

㉓程頤（西元一〇三三～一一〇七年），號伊川，洛陽人，北宋理學的奠基者，《伊川易傳》見《二程全書》。

推薦閱讀書目

- 《周易正義》 魏．王弼、晉．韓康伯注，唐．孔穎達正義，《十三經注疏》通行本。
- 《伊川易傳》 宋．程頤撰，見《二程集》，中華書局一九八一年新排本。
- 《周易本義》 宋．朱熹撰，《四書五經》通行本。
- 《周易尚氏學》 近．尚秉和撰，中華書局一九八〇年新排本。

・《周易古經今注》高亨撰，中華書局一九八四年重訂本。
・《周易大傳今注》高亨撰，齊魯書社一九七五年本。
・《周易今註今譯》南懷瑾、徐芹庭合著，台灣商務印書館，一九七九年。
・《周易通義》李鏡池撰，中華書局一九八一年本。
・《周易大傳新注》徐志銳撰，齊魯書社一九八六年本。
・《白話易經》孫振聲撰，台灣星光出版社一九八四年六版本。
・《周易讀本》黃慶萱撰，三民書局，一九九一年增訂本。
・《周易時代的社會生活》郭沫若，見《中國古代社會研究》一書，全集歷史編第一卷。
・《周易義證類纂》聞一多，全集第二卷。
・《周易卦爻辭中的故事》顧頡剛，《古史辨》第三冊。
・《易傳的哲學思想》馮友蘭，《哲學研究》一九六〇年、七～八期。
・《易經和易傳》任繼愈，見《中國哲學發展史（先秦）》五八二～六六七頁，人民出版社一九八三版本。
・《易學哲學史》朱伯崑撰，藍燈文化事業有限公司，一九九一年九月。
・《易學辭典》張善文編，上海古籍出版社一九九二年十二月。

第3章 《尚書》

《尚書》，俗稱《書經》，古稱《書》。尚者，上也，指上古；書者，記也，指歷史簡冊；尚書的意思，就是上古的史書。

我國在夏代（西元前約二十一～十六世紀），已經有了文字。傳說我國在堯時已有專管記載歷史和占卜的史官。但唐堯和虞舜都是傳說時代的人物，連夏代也極少可考的資料。現在我們可以考定，殷商奴隸制國家確已建立了保存文字檔案的制度。《尚書．多士》記周公姬旦向殷遺民說：「惟殷先人，有冊有典。」冊、典就是指歷史檔案文獻。周代繼承了這個制度，設立專職史官，不但記載本朝的史事和文獻，而且整理前代遺留下來的檔案。史官記載的體裁有兩種：一種是逐年逐月按時間順序記錄國家大事，這就是編年史，現存最早的編年史是春秋時期魯國編年史《春秋》；一種是記載國家的號令、誓詞、重要的談話紀要以及專題記事，作爲檔案文獻保存下來。後來把這些檔案文獻匯編在一起，就是《尚書》。

第一節 《尚書》的時代和體例

《尚書》是夏、商、周三代歷史檔案文獻匯編。

這部歷史檔案文獻匯編分《虞書》、《夏書》、《商書》、《周書》四部分。其中，《虞書》和《夏書》是商、周時的人根據遠古傳說和部分從夏代傳下來的資料追記的；《商書》一部分是商代留傳下來的文獻，一部分經過後人的加工；《周書》全是周代檔案文獻。

這些檔案本來是比較多的。《左傳》記述春秋史事，其中多次引用這些文獻中的詞句，他們在引用這些文獻的同時，或直接舉出某篇的篇名，或只稱之爲《夏書》、《商書》、《周書》，或籠統地稱之爲《書》。這說明，在西周時期，這些文獻已經分別匯編，而且是貴族們所熟悉的讀物。春秋末年的孔子，很重視這些歷史檔案文獻，《論語》裡就記錄了他經常向弟子談論或引用《書》的事蹟。相傳在孔子的時代，這些文獻有三千多篇，經孔子刪去絕大部分，只留下一百篇作爲傳授學生的教材。許多學者並不相信這個傳說。然而，當時究竟有多少篇，孔子是否刪訂過，或者如何刪訂的，這些事已經無人能夠考證清楚。不過，我們可以確信：既然孔子把它作爲傳授弟子的一種重要教材，當然曾經作過整理修訂的工作，《論語・述而》說：「《詩》、《書》、執禮，皆雅言也。」就是有力的證明。

戰國時期，儒家學派把《書》作爲六經之一，各家各派的學者，在《墨子》、《管子》、《孟子》、《呂氏春秋》、《荀子》、《韓非子》等書都引用《書》中的文句，說明從西元前四七五年起的二百餘年中，《尚書》是廣泛流傳的。這些先秦古籍所引用的文字，有的見於今本《尚書》，有的不見於今本《尚書》，有的文句和今本《尚書》大同小異，連有的篇目今本《尚書》也已經沒有。這說明：在戰國時期通行的《尚書》，篇目比今本多，詞句也不完全相同；秦始皇焚書時，《書》是被焚的主要對象之一，漢初復出的《尚書》，只是大劫後艱難地藏留下來的一部分，又經過後人的重新整理。

《尚書》雖屢經整理，但全書體例和文體並無多大變化。《尚書》的文體，大多篇章是記言，少數篇章是記事或記言兼記事。它是中國記言散文之祖。孔穎達《尚書正義》把《尚書》的文體分爲十類，較爲繁瑣，〈書序〉把它歸爲六類：

一、**典**：如〈堯典〉。「典」古文寫法上半是册字，即書册，下半是几字，象把書册放在几案上，有表示尊重的意思。〈堯典〉記述堯和舜的事迹與言論，古代史官認爲這篇文獻應該受到特別的尊重，所以稱作「典」，由此可知，這種體裁不是當時的實錄，而係後人的追敍。

二、**謨**：如〈皐陶謨〉。「謨」是謀議的意思。這一篇記述堯、禹、皐陶等人討論政治的談話，這種體裁記述彼此問答對話，類似會談紀要或會議記錄之類。

三、**訓**：如〈伊訓〉。「訓」是教誨的意思。這篇記述商大臣伊尹教訓太甲的話，不過原文已亡佚，現在的〈伊訓〉是僞古文，不可信。但《商書》中還有一篇〈高宗肜日〉，也屬這種體裁。

四、**誥**：如〈大誥〉、〈康誥〉。「誥」，是告諭的意思，如執政者對臣民的號令，或者上級對下級的指示。誥體是《尙書》最重要的部分，約占一半。又如〈盤庚〉、〈梓材〉、〈多士〉、〈多方〉等等，雖未用「誥」的名稱，也屬這種體裁。誥體大多記錄講話的口語，口語不像書面語言有條理，而商、周口語與現代語言距離太遠，所以旣重複零碎，又生澀難懂，是《尙書》中最難懂的部分。韓愈說：「周誥殷盤，詰屈聱牙」，就是指這類文體。

五、**誓**：如〈湯誓〉、〈泰誓〉。「誓」，是約束的意思。多半指征伐、交戰的誓師詞。誓詞是在羣衆集會上宣布的，語句力求簡潔明瞭，比較易懂；也多半有節奏韻律，便於記憶。

六、**命**：如〈文侯之命〉。「命」，是「令」的意思，所以命體是命令之詞，多是君王獎賞臣子宣布的命令。今本《尚書》只保存下來周平王對晉文侯的一道嘉獎令。

今本《尚書》可信者二十八篇，不出這六體；通常用「典謨訓誥之文」稱整本《尚書》。

除經文外，還有一個附帶的部分，那就是〈書序〉。〈書序〉是用幾句話給各篇作題解，但並非每篇都有一篇序，也有幾篇合一序的。序有一百篇篇名，過去傳說是孔子從三千餘篇文獻中刪存一百篇，並爲之作序。這話靠不住。經學術界考證，這些序大概是西漢講授《尚書》的儒家經師們作的，因而有些題解並不準確。

第二節　今文《尚書》、古文《尚書》、偽古文《尚書》

❖今文《尚書》

戰國後期通行的《尚書》，在秦始皇時代遭到瀕臨滅亡的厄運。秦始皇統一全國後，頒布統一文字的命令，先以秦國所定小篆爲標準文字，後又創一種比較簡便的隸書作爲日常通用文字，取締先秦時代其他各種不同的字體。因此，秦朝官方原來所用《尚書》自當改爲隸書，但民間藏書卻未必改過來，這樣，《尚書》便產生了不同字體的版本。秦始皇晚年又下了焚書的命令，規定「非博士官所職，天下敢有藏《詩》、《書》百家語者，悉詣守、衞雜燒之；有敢偶語《詩》、《書》者棄市。」①經過這場浩劫，民間用先秦文字所寫的《尙書》差不多全被燒掉，公開保留的只有博士所掌管的用隸書改寫的《尙書》了。接著是農民起義軍推翻秦朝，項羽用大火焚燒了秦的阿房宮，楚漢戰爭又打了好幾年，秦官方的藏書或者被燒、或者散失。

山東濟南人伏勝，人稱伏生（生是尊稱，如後代稱「先生」），本來是秦朝的博士官，專門講授《尙書》，在戰爭期間，他把保留的《尙書》藏在牆縫裡。漢朝建立，秩序穩定，廢了「挾書律」，民間藏書紛紛出現。這時，伏生從牆縫裡找出保存的《尙書》，竹簡大部分都漚爛了，只剩下二十八篇，就用這個殘本在本鄉傳授門徒。漢朝沿用秦朝的隸書，所以這個《尙書》殘本，是用漢代通用的隸書寫的。漢文帝時朝廷大規模搜求古籍，派一個名叫晁錯的官員到伏生家受教，伏生口授講解，晁錯筆錄後帶回朝廷。②從此，這個《尙書》殘本被朝廷重視，立博士官專門講授，通行全國。後來別的地方又發現《尙書》的另一篇〈泰誓〉，也是用隸書寫的，應當是秦官定本的一部分，加上伏生傳下的二十八篇，成了二十九篇。不過這篇〈泰誓〉的文字有很大不同，眞實性是可疑的。可是，漢朝的學者把它視爲眞的，在文章中引用它。在西漢流行的這個共有二十九篇的殘本《尙書》，因爲是用當時通行的隸書寫的，便被稱爲今文《尙書》。

今文《尚書》是兩漢的官學，東漢熹平年間經學者蔡邕據三家傳本校訂爲統一本，刻於石碑，一體隸書，計一八六五〇字，稱「熹平石經」，現殘存拓片八〇九字。

上面說的今文《尚書》三家，是在西漢後期傳授今文《尚書》的三個支派：歐陽高、夏侯勝及其侄夏侯建，省稱歐陽和大小夏侯。他們的講章有《歐陽章句》、《歐陽說義》、《大夏侯章句》、《小夏侯解故》等等。這三個支派雖然源流都自伏生所傳，但分章斷句及解釋又各有出入。當時三家都立於學官，各置博士一員，弟子人數衆多，盛極一時。這三家講章雖然名爲「章句」、「解詁」，卻不是眞正的分章斷句和訓詁之學，而是把每章每句甚至每一個詞組分別解說，任意發揮，將一些不可靠的歷史傳說、陰陽讖緯、政治理論和儒家倫理思想等等拉扯在一起，牽強附會，動輒寫出幾十萬字的講章。其中，小夏侯一派最爲突出，這一派有一個名叫秦恭的學者，講解〈堯典〉的篇名二字，寫了一百多萬字，解釋該篇開頭「曰若稽古」四字，寫了三萬多字，繁瑣達到驚人的程度。

漢成帝時又出現一類《緯書》，也稱「讖緯」，它附會儒家經義，編造預示吉凶的隱語，宣傳封建迷信思想，爲漢王朝統治服務。這類《緯書》假託是先秦著作，分別和五經扯上關係。其中和《尚書》有關的，有《尚書中侯》、《尚書璿璣鈐》等多種，統稱《尚書緯》。《尚書緯》爲《尚書》的產生捏造一些神話，並杜撰說古檔案原有三二四〇篇，被孔子刪除到一二〇篇，以一〇二篇作《尚書》、十八篇作《尚書中侯》。由於統治者的提倡，《緯書》曾一度盛行。許多人竟相信這個謊話，誤以爲《尚書》原有一〇二篇。

❖古文《尚書》

從漢景帝年間今文《尚書》第二十九篇〈泰誓〉出現時開始，在今文《尚書》盛行的同時，又陸續發現了用先秦古文字書寫的《尚書》，它們與今文《尚書》不僅書寫文字不同，篇數和章句也有所不同，另成一個體系，被稱爲古文《尚書》。

古文《尚書》曾經多次發現，所以有多種版本。據記載，或殘或全，眞眞假假，有六種版本：

一、景帝的兒子河間獻王**劉德**，廣泛徵求民間藏書，得到一批先秦古書，其中有一部分是先秦時代的《尚書》殘篇，是秦焚書時民間私藏的。這個版本曾經獻給朝廷，所以稱「河間獻王本」。它是什麼樣子，現在已經無人知道。

二、景帝的另一個兒子**魯恭王劉餘**，在孔子故鄉拆毀孔子故居另建宮殿，於夾壁中發現幾部先秦古籍，其中有一部《尚書》。魯恭王把這些交還孔家，孔家後裔中有一位學者名孔安國，本來是研究《詩經》、《尚書》的，經他對照辨識，今文《尚書》的二十九篇這裡都有，只是文字有所出入；另外還有十六篇是今文《尚書》所沒有的，但他也辨識不清那些古文，所以他只傳授那二十九篇，而把那十六篇稱爲「逸書」或「逸篇」。他把這四十五篇獻於朝廷，稱古文《尚書》，請求立於學官，卻未能如願。他的學生司馬遷在朝廷的書庫見到這四十五篇孔安國本的古文《尚書》，並且在《史記》中加以引用。孔安國傳授的，雖然只是他能夠對照辨清的二十九篇，但文字內容和解說卻與今文《尚書》的各派不同，從而開創了古文《尚書》學派。

三、在成帝的時候，山東地方一個叫**張霸**的人，把通行的二十九篇拆開，又採用《左傳》的某些文字，加上當時已出現的〈書序〉，湊上一〇二篇。雖然作僞痕迹顯著，也曾一度被立於學官，稱爲「百兩本」。

四、從成帝到哀帝，**劉向**、**劉歆**父子先後奉旨主持整理祕府（國家收藏珍本圖書的府庫）圖書，劉歆將全部圖書分類編目，著《七略》一書③，上列今文歐陽家《尚書》，是將〈盤庚〉分爲上中下三篇，故其總目爲三十一篇；古文《尚書》把〈盤庚〉、〈泰誓〉各分爲三，把〈顧命〉、〈康王之誥〉分爲二，原來的二十九篇便成爲三十四篇；「逸書」十六篇將其中〈九共篇〉析分爲九，成爲二十四篇，孔安國四十五篇本變爲五十八篇，可稱爲「祕府本」或「劉歆整理本」。其實，它們的篇數增多了，內容並無多大變化。據他們整理校對的結果，今文《尚書》和古文《尚書》相差不過八九百個字。劉歆曾經建議並力爭將古文《尚書》立於學官，然而只在王莽執政時方才一度實現，到東漢時又取消其官學地位。所以，在漢代，古文《尚書》基本上是私學，可是它在學術界卻有較大的影響。

五、東漢學者杜林，在隴西得到一卷漆書的《尚書》，後稱「漆書本」，或稱「西州《尚書》」，是先秦古籍。他是古文字學家，據此研究古文字，從而校訂了通行的孔安國本。以前的古文《尚書》是沒有文字解說的，學者賈逵爲之作訓，衞宏爲之作訓旨；此後馬融爲之作《傳》，徐巡爲之作「音」，許愼《說文解字》考證其文字訓義，盧植爲之作章句。這些人都是名冠當世的大學者，於是由孔安國傳本發展而來的古文《尚書》大爲盛行，其影響遠超過沒落的今文《尚書》。

六、東漢末年的大學者鄭玄，是古文學家，兼通今文學，他以上述的古文《尚書》傳本爲主，兼采今文三家之說，作《尚書注》。這時今文三家已經一蹶不振，鄭玄注本一出，大行天下，從此平息了今古文《尚書》之爭。

古文《尚書》興盛和今文《尚書》沒落的原因，在於今文《尚書》的注疏繁瑣而又滲雜大量的讖緯迷信內容，當它失去統治階級的政治支持之後，便被訓詁簡明、學術價值較高的古文《尚書》所取代。不過，據今文《尚書》和古文《尚書》的篇數來看，古文《尚書》實際所傳的也是今文《尚書》那二十九篇（其中〈泰誓〉一篇眞實性可疑），古文《尚書》中的「逸書」十六篇並未傳授；不管二者各自把某些篇一分爲三或一分爲二，以致篇數不等，歸根結底，還是那連篇目名稱也相同的二十九篇；對照二者經文來看，也只是在文字上有一些出入，經過多次校訂，其出入就更小了。所以，二者的經文是大體一致的，其區別主要在於注釋和解說；經過鄭玄的揉合，二者也基本合流了。當然，據後世日漸提高的學術水平來看，鄭玄的注本也有許多錯誤和講不通的地方，不過較之前人的注釋，是提高多了。

魏代正始年間，立古文《尚書》爲官學，又將《尚書》刻了一次石碑，用古文《尚書》的本子，而且用先秦古文、秦小篆和漢隸書三種字體重寫，稱「魏石經」或「正始石經」，或「三體石經」。殘石現存三體字合計二八〇〇字左右。

❖僞古文《尚書》

魏晋時代賈、馬、鄭、王（肅）四家《尚書》注本通行，主要是影響較大的鄭、王兩家之爭。

魏末晋初之際，出現了所謂孔安國《尚書傳》。其實，孔安國並未作過傳，它是僞託的，但漢末董卓遷都之亂，使祕府藏書受到重大損失，這部僞書竟取得官方的承認而立於學官，我們可稱之爲「前僞孔傳《尚書》」。西晋末年永嘉之亂，晋朝接收的漢、魏以來的祕府藏書又遭一次浩劫，今文三家《尙書》和祕府以前保存的各種版本全部被毀，唯一保存的只有晋朝立於學官的《尙書》三十四篇。它屬於兩家，一家是鄭玄學派，一家是前僞《孔傳》。當時玄學盛行，經學衰落，南朝梁武帝大力恢復學術事業，重興太學，重建五經博士，經學有所恢復。這時，又出現了一部標榜爲孔安國眞本的古文《尙書》。這部「孔傳」既與鄭玄的注本不同，也與「前僞孔傳《尙書》不同，我們稱爲僞《孔傳古文尙書》。這部《尙書》共有五十八篇，五十七篇有注釋，頭一篇沒有注釋，書前還有一篇自稱孔安國所寫的序，宣傳這是眞正的孔安國傳。把它與鄭玄注本相對照，鄭玄注本爲三十四篇，它有三十三篇篇目和鄭注本相同，另外的二十五篇經文是僞造的，序是僞造的，五十七篇注解也是假冒孔安國作，而大部分是從「前僞孔傳」抄下來的。關於這部僞《孔傳古文尙書》的僞造者，有人說是一個名叫梅賾（頤）的人獻給東晋元帝的；也有人說是王肅、鄭沖、或皇甫謐僞作的；尙無一致意見。不管怎麼個說法，這部《尙書》十分流行，其影響超過了鄭玄注本，在一個相當長的歷史時期內，人們並不把它當作僞書。陸德明著《經典釋文》，便以它爲主，隋朝學者劉炫又爲它作疏，流傳很廣。

唐代統一五經，令顏師古考定五經定本，便採用劉炫編訂的僞《孔傳古文尙書》爲標準讀本；又令孔穎達主持一批學者撰集五經義疏，其中《書經》也採用僞《孔傳古文尙書》作爲標準注本並爲之作疏，定名爲《尚書正義》。當時，隸書已成古文體，唐代通行楷書，於是唐開成二年，又以楷書將僞《孔傳古文尚書》刻爲石經，稱「開成石經」。我國發明印刷術以後，便以「開成石經」爲根據刻版印行，一直傳到今天。現在由宋人收進《十三經注疏》通行至今的《尚書》，便是這部僞《孔傳古文尚書》。由於唐代統一五經，排斥其他版本，在唐初尚流行的馬融注本，王肅注本、鄭玄注本，都在排斥之列，也就從那時失傳了，我們所能見到的《尚書》版本，只是這一種，別無其他。

我們現在講《尚書》，指的就是這個本子，所以，在這五十八篇之中，哪些是眞文獻，哪些是假文獻，不能不辨別清楚。《尚書》的辨僞，就不能不是一項重要的工作。

❖《尚書》的辨僞

對這部通行的《尚書》，雖然社會上普遍認爲是先秦傳下來的眞正古本，南宋的吳棫、朱熹等已提出懷疑，元代吳澄、明代梅鷟作了一些初步的但是有價值的論證。清代前期考據學興起，學術界紛紛研究這個問題，閻若璩經過二十年考證，著《尚書古文疏證》一書，以豐富的材料，有力的論證，用一百二十八條論據澄清問題，宣判了這部通行一千多年的《孔傳古文尚書》是僞造的。他的考證又得到惠棟等學者的修訂，終於使僞《孔傳古文尚書》中的眞、僞篇章大白。

我們現在通行的《尚書》五十八篇，其中有眞有假。三十三篇是從漢代傳下來的古文《尚書》照抄的，這是眞文獻；其餘的二十五篇，是從各種資料拉雜拼湊的，這是假文獻；所有的所謂「孔安國傳」，以及所謂孔安國的序，都是僞造的。

這裡的三十三篇眞文獻，是古文《尚書》的篇數，今文《尚書》則是二十八篇之數。這二十八篇的編制和篇目如下：

《虞書》二篇：〈堯典〉、〈皐陶謨〉。（僞古文《尚書》分〈堯典〉後半篇爲〈舜典〉，分〈皐陶謨〉的後半篇爲〈益稷〉；另〈大禹謨〉一篇是僞造的，共爲五篇。）

《夏書》二篇：〈禹貢〉、〈甘誓〉。（僞古文《尚書》中另有〈五子之歌〉、〈胤征〉兩篇是僞造的，共爲四篇。）

《商書》五篇：〈湯誓〉、〈盤庚〉、〈高宗肜日〉、〈西伯戡黎〉、〈微子〉。（僞古文《尚書》中將〈盤庚〉分爲上中下三篇，另外的〈仲虺之誥〉、〈湯誥〉、〈伊訓〉、〈太甲〉上中下，〈咸有一德〉、〈說命〉上中下計十篇是僞造的，共爲十七篇。）

《周書》十九篇：〈牧誓〉、〈洪範〉、〈金縢〉、〈大誥〉、〈康誥〉、〈酒誥〉、〈梓材〉、〈召誥〉、〈洛誥〉、〈多士〉、〈無逸〉、〈君奭〉、〈多方〉、〈立政〉、〈顧命〉、〈呂刑〉、〈文侯之命〉、〈費誓〉、〈秦誓〉。（僞古文《尚書》中分〈顧命〉下半篇爲〈康王之誥〉，另外的〈泰誓〉上中下、〈武成〉、〈旅獒〉、〈微子之命〉、〈蔡仲之命〉、〈周官〉、〈君陳〉、〈畢命〉、〈君牙〉、〈冏命〉計十一篇是僞造的，共三十二篇。）

據以上可知，僞古文《尚書》中的眞文獻三十三篇，是與從伏生傳下來一脈相承的今文《尚書》二十八篇相同的。漢代今文《尚書》除這二十八篇外，後來還曾傳有〈泰誓〉一篇，漢四十五篇本的「逸篇」裡有〈武成〉一篇，僞古文《尚書》中的〈泰誓〉和〈武成〉卻不是原作，而是託名僞造的，所以均歸入僞作之列。

我們現在讀《尚書》，其中的這些假文獻可以不讀，更不可引用。當代學者研究和注釋《尚書》，主要是研究注釋這二十八篇，其餘的，大多置之不論了。

這二十八篇眞文獻，也不能說全部是原始檔案，並非句句都確鑿可靠。我們可以按其可靠程度，大體上把它們分爲三組：

一、可信爲原始檔案的計十三篇：

《商書》一篇：〈盤庚〉。

《周書》十二篇：〈大誥〉、〈康誥〉、〈酒誥〉、〈梓材〉、〈召誥〉、〈洛誥〉、〈多士〉、〈多方〉、〈呂刑〉、〈文侯之命〉、〈費誓〉、〈秦誓〉。

二、基本是原始檔案，文字等經過後來加工的計十二篇：

《夏書》一篇：〈甘誓〉。

《商書》四篇：〈湯誓〉、〈高宗肜日〉、〈西伯戡黎〉、〈微子〉。

《周書》七篇：〈牧誓〉、〈洪範〉、〈金滕〉、〈無逸〉、〈君奭〉、〈立政〉、〈顧命〉。

三、戰國時利用遠古傳說和流傳下來的舊材料編寫的計三篇：

《虞書》二篇：〈堯典〉、〈臯陶謨〉。

《夏書》一篇：〈禹貢〉。

這三類文獻因錯簡、脫簡、輾轉傳抄所造成的訛誤，以及後人所附加的內容，學術界一直在進行研究。

第三節　《虞書》和《夏書》

《虞書》的兩篇和《夏書》的〈禹貢〉，都是戰國年間的人利用遠古傳說和流傳下來的舊材料追記的；《夏書》的〈甘誓〉基本是原始文獻而文字經過後人加工，竄改了部分內容。雖然這幾篇不是原始檔案，或不是原始檔案的原貌，但是它們記載了不少堯舜時代的歷史傳說，保存了一部分可靠的材料。

❖〈堯典〉

〈堯典〉開頭四字是「曰若稽古」，「曰若」是發語詞，「稽」是查考；一開頭就說明這篇文章是查考古事，記述古代傳聞的事迹。可是究竟寫於什麼時代，從古到今聚訟不決。僅以近人意見而論，有三種不同說法：一說寫於戰國（郭沫若）；一說寫於周代歷代史官（范文瀾）；④一說寫於秦漢（顧頡剛）。三說都在從周初到秦漢這一段歷史時間之內，具體年代已經很難考定。我們根據《左傳》引述的堯舜事迹與〈堯典〉所記脈絡一致，以及戰國諸子的書也有大致與〈堯典〉記述相同的引文，可以認爲〈堯典〉所記的材料是在一個很長時期流傳的，戰國年間有人掇拾這些傳聞材料編寫成一篇文章流傳；到秦漢時有人又潤色和修改，所以文中雜有一部分秦漢時的觀點和材料。這些使這篇文章具有不同的時代色彩。

儘管〈堯典〉寫於戰國，又經過秦漢人潤色和部分竄改，它還是保存了不少眞實的事迹。如所謂堯舜「禪讓」之事，在周代世襲制度已實行一千餘年，宗法世襲制是周人立國之本，不可能杜撰出這樣的謊話。〈堯典〉中「四仲中星」的星象記載，經近代天文學家科學推斷，也確是堯時的天文記錄。〈堯典〉中記載的一些地理名稱，也與甲骨文中記載相合。由此可見，但〈堯典〉的記述有一些是眞實的傳聞和記載。

〈堯典〉記述堯和舜的事迹。過去的歷史把堯和舜列於太古的「三皇五帝」之列，所以又曾稱〈帝典〉。前半篇主要記述堯的事迹，後半篇主要記述舜的事迹（古文《尙書》分出另成〈舜典〉）。

文章前半篇的內容分爲四段。

第一段總述堯的德政可「橫被四表，縱格天地」。

第二段記堯命羲和定曆法，根據觀測天文現象，以鳥、火、虛、卯四星運行於天體正中之時，定春、夏、秋、冬四季⑤，以便安排「百工」作業，爲生產服務。由此可知，我國在五千年前唐堯時代已經制定了曆法，曆法又是根據天文觀測並密切聯繫農業生產活動產生的。

第三段記堯動員羣臣舉薦治國人才，選拔能夠統率「四岳」（四方部落首領）的德才兼備的人員，管理政事，整治洪水，使人民安居樂業。衆臣先後舉薦了朱、共工、鯀幾個人，堯認爲這幾個人都有嚴重的缺點而不能勝任。經過討論，試用了鯀。但鯀治水九年不成。從這一段看，當時注意選賢與能，對使用的人員考察試用，用人決策時表現出原始民主制作風。

第四段記堯接受「四岳」的舉荐，選處境困苦但以賢德聞名的舜作預備接班人，並把兩個女兒嫁給舜。為了進行考察，先讓舜負責推行德教；有成績，又讓他處理政務；又有成績，再讓他進行艱苦的鍛煉。經過三年考驗，決定讓位給他。這一段敍述在所謂「禪讓」之前是通過民意選拔和長期鍛煉和考驗的。

後半篇的敍述以舜為中心，內容分為兩段。

第一段寫堯年老，舜總理政務，所行政事主要有七項：一是觀測星象修訂曆法；二是祭祀天地、山川、羣神；三是召見四方部落首領重頒信圭；四是巡視「四岳」，統一度量衡，制定五禮五服和朝貢制度；五是劃定十二州疆界；六是制定刑典；七是流放共工、驩兜、三苗，殛鯀，平服民心。

第二段寫舜攝政二十八年，堯死，全國悲悼。守喪三年以後，舜正式繼位。舜召集四方部落首領宣布施行德政，任命九卿：禹為司空，治水土；棄為后稷，管農業；契為司徒，主教化；皋陶為士，典刑法；垂為共工，掌工事；益為虞，主林牧；伯夷為秩宗，典禮；夔為樂官，管理文化教育和藝術；龍作為納言，出納王命；從而內政修明，外夷懾伏。舜自三十歲受理政務，歷五十年，後在巡視南方時死去。在這些敍述中，所謂統一度量衡、官制、服制以及大一統思想等，顯然與當時社會發展水平不合，為後人所增益。

〈堯典〉反映了原始氏族社會末期的一些基本情況。文中贊頌的堯、舜，是部落聯盟大酋長，「四岳」、「九族」都是氏族部落。大酋長的產生和重要管事人員的任命，還保留著部落聯盟議事會推選、經過討論議定的方式。推選多人，逐一討論，如對鯀，堯本來不同意，由於「四岳之長」堅持試用，堯只好用鯀去治水。舜以賢德聞名而被推薦，終於以其卓越的政績而接替了堯。古傳說中所謂的「禪讓」，不過是通過部落聯盟議事會來商定，由一個德才兼備的人代替另一個德才兼備的人接管政權。

從文中記述四岳的方位來看，堯舜時代的統治中心在今山西省西南部及豫西一帶。定曆法，立四時，反映了農業生產的發展；農業和林牧業分開管理，也說明農業日益成爲獨立的、重要的生產部門。那時生產水平低下，人民生活困苦，舜命后稷「播時百穀」，乃是注意提高農業技術，努力發展農業生產。文中活動的人物全是男子，只提到堯嫁二女給舜，無可懷疑當時是父系氏族社會，婦女屬於從屬的地位。農業生產要求定居，文中反映當時人們最大的危害——是洪水，（指黃河沒有固定的河道而經常泛濫），所以要大力「治水土」；二是「三苗」，指南方蠻夷各族經常侵擾搶掠，所以必須驅逐。既要驅逐，使其逃竄，只有進行戰爭。當時戰爭是頻繁的，流放聯盟內部的共工、驩兜、鯀等「凶頑」的部落首領，當然也要進行戰爭。

〈堯典〉所反映的氏族社會，已經進入解體時期。私有財產和貧富差別已經出現，所以有了「寇賊奸宄」；爲了鎮壓「寇賊奸宄」，制定了刑法；同時產生了專職管理各種生產部門以及教育文化的分工。舜在任用人員時已不再通過部落聯盟議事會，而直接由個人任命、考績和升黜。這些情況說明：當時的氏族社會已經產生私有制，開始了階級分化，產生了法律和國家的雛形，最高統治者掌握的權力也在逐漸擴大。〈堯典〉向我們報導了階級、國家和君主制度到來的信息。

〈堯典〉中還有一小段是談論文藝問題的。舜任命夔主管文教藝術時說：「夔！命女典樂，教冑子，直而溫，寬而栗，剛而無虐，簡而無傲。詩言志，歌永言，聲依永，律和聲。八音克諧，無相奪倫，神人以和。」（夔啊！命令你主管音樂，教育青年，教導他們正直而溫和，寬弘而莊嚴，剛正而不暴虐，平易而不傲慢。詩表達志意，歌把語言詠唱出來，聲調隨著詠唱而抑揚頓挫，韻律使聲調和諧統一。八類樂器的聲音協調，不能互相攪亂倫次，神和人聽了都感到欣悅和諧。）這一段文字是我國早期文藝理論的一段記錄，雖然內容簡短，卻提出了文藝的內容、形式、作用幾個重要方面的問題，在文學理論發展史上影響深遠。它提出的「詩言志」的命題，被認爲是中國古代詩論的「開山的綱領」⑥。這一段話認爲，詩是表達內心思想感情的，詩歌的聲律必須和諧動人，並且強調詩歌的教化作用。

❖〈皋陶謨〉

這是舜、皋陶、禹三個人在一起討論治國大政的談話記錄，「謨」就是謀的意義。正文開始就記皋陶的發言，除「曰若稽古」四字外，開頭兩字是「皋陶」二字，所以以此爲題，就叫〈皋陶謨〉。他們這次討論的中心問題，是如何繼承堯的優良傳統來治理好國家。他們發言的內容，是後人根據傳聞追記的。我們可以看作是一篇會議發言紀要。

全文分三大段。第一段主要記皋陶的發言，第二段主要記禹的發言及禹、舜對話，第三段主要記舜的發言，禹再次發言，及討論結束的祭祀活動。全文一直在個人發言和相互對話中展開議論。

第一段是皋陶的發言。他就保持堯的優良傳統，提出以安民爲中心的治國意見。他認爲，安民是治國的根本，要做到這一點，國王和大臣都要加强道德修養，以「九德」作爲修身的標準，摒除私欲，規範自己的行爲；同時要知人善任；所謂知人，也就是任用那些符合「九德」標準的人來治理國家。

第二段是禹的發言和禹、舜對話。首先禹匯報了治水的成績，以及對國王的希望，然後舜提出準備採取的五項施政措施：一是進行討伐叛逆的戰爭；二是從人們的服飾來分別等級；三是通過音樂來了解民意，考察政治得失；四是要聽取各種意見；五是要懲罰犯罪，他要求大臣做他親近得力的耳目和助手。禹表示支持，勉勵他獎賞功德，舉用賢良。

第三段是舜的發言，他說明丹朱輕浮放縱，耽於游樂，所以給予嚴懲以儆戒別人。禹再次發言說明治水和施政成績，提出苗民仍在頑抗。舜讓他對苗民實行德教。談話結束後，皋陶發布命令，命令全體臣民服從禹的領導。最後是祭祀和文藝演出，以禹作歌結束。

從記述來看，這應當是在舜的晚年。禹平治洪水後協助處理全國政務，皋陶也是這個「三人領導小組」的成員之一，從這次「三人領導小組」的會議發言，我們可以看到他們親密團結、嚴格要求又互相勉勵的關係。但是，談話中的許多內容，如所謂「九德」、修身、德教，以及「天聰明，自我民聰明；天明畏，自我民明威」等等，都是西周初期和後來儒家的思想，這顯然是後人附加的，不能據爲信史。

本篇反映了某些部落首領和行政人員已經比較普遍和嚴重地腐化放縱，這就說明壓榨奴役人民的統治剝削階級正在產生。要保持穩定，安民就自然成爲中心議題。皋陶希望從修身和知人著手，用道德來約束這些首領和行政人員；舜希望用刑罰來儆戒別人；他們都沒有抓住根本。在本篇中，禹還繼續反映了所謂「苗頑」反抗的問題，表明在遠古時代漢族與南方苗族的尖銳矛盾。

〈皋陶謨〉中也有一段關於文藝問題的文字。舜的談話中提到兩點：一是在衣物上繪繡日月、星辰、花草、蟲獸等十二種圖案，用來表示人們高下不同的地位。二是要從各種音樂中考察政治的得失。

前者表明，上古美術的實用性質。我國的上古美術不僅僅是欣賞的，而且是實用的，美和實用合爲一體的工藝美術已經出現；其實用性不僅用在彩陶器上，也用在衣飾上。後者說明已注意到文藝的認識作用，通過文藝作品可以認識生活，考察政治得失。

❖〈禹貢〉

《夏書》中的〈禹貢〉，是我國第一篇地理著作。它寫作的年代說法不一，現在多數學者認爲它原來是根據夏代流傳下來的傳聞和某些歷史素材，在戰國年代寫成的；後來又摻雜了某些後世的語言和政治思想，所以表現出不同的時代色彩。雖然它雜有後代的材料，還是記載了一些夏代的史實。經過我們與其他文獻，特別是與考古發掘相印證，許多史實是相合的，所以它仍然是研究夏代歷史的重要材料，因而是一篇不可多得的歷史地理文獻。

全文結構井然。開頭六句引言，概括介紹全文主要內容，接著分述九州、山脈、大川、土壤、賦貢；然後介紹後人假託的所謂五服制度；最後六句以歌頌禹的功績結束全文。我們逐層剝開那些後世虛構和誇張的成份，其中確有許多可靠的珍貴史料，幫助我們初步地認識長期被籠罩於迷霧中的夏代社會。

從〈禹貢〉中所記九州、山脈、大川等段落，我們可以大體上確定夏代的區域。它四方所至範圍，如〈禹貢〉所說：「東漸於海，西被流沙」，東至「海、岱惟青州」，達東海之濱；西至「黑水、西河惟雍州」，達今之甘肅、青海地區；南至「荊及衡陽惟荊州」，達今日的衡山之南；北至黃河河套地區。這廣袤的區域，既包括夏王朝的中心地帶，又包括夏王朝的附屬國以及一些與夏王朝有聯繫的部落和部落聯盟，即〈禹貢〉所說的「聲教訖於四海」。從我國新石器時代龍山文化晚期的分布區域來看，它們基本上是相合的，所以這些記載可以相信。

冀州列爲九州之首，因爲它是夏的王畿所在地區。冀州主要地區在今山西中部和南部，王畿在南部。豫州距王畿最近，所以在九州中位居第二。豫州主要地區在伊、洛、豫西一帶。夏王朝的中心地區在相銜接的晋南和豫西。這從河南偃師二里頭文化遺址的發掘也可以證實。二里頭文化的年代與夏代後期的年代基本一致，其中心與分布也與〈禹貢〉相合。

〈禹貢〉中所記各州賦稅等級及貢道等貢賦制度，當然是不可信的，因爲那個時代還不可能產生如此完整的貢賦制度。但是，從《禹貢》所定冀、豫、兗、青、徐、揚、荊、梁、雍九州名稱，中國古代曾長期沿用，我們就可以從中了解當時全國各地物產分布、物資流通和貿易狀況。

從《禹貢》可以了解：夏王國中心地區以農業生產爲主，因而貢獻和交換以農產品爲主。其中記載的生產工具，據晋南、豫西二里頭文化遺址出土文物考察，是石器工具。在手工業方面，「揚州」、「荊州」文中提到的「金三品」，以二里頭文化遺址發掘相證，當時已有冶鑄青銅器的手工作坊和達到一定發展水平的冶鍛技術。文中分別提到各州的玉石、硃砂、皮服、漆絲、桐油等幾十種產品，都可通過發掘證實，證明那時手工業有相當的發展，青銅器已經開始使用。但是記「梁州」中提到的「璆鐵銀鏤」，迄未證實，可能是後人摻雜進去的了。

《禹貢》中所記山脈分三大系。一系稱北條，從岍（陝西西部隴縣）、岐（陝西岐山縣）、荊（陝西富平縣）穿過黃河，經壺口（山西吉縣）一直到太岳（山西霍縣）、王屋（山西陽城縣跨河南濟源縣）、太行、恆山（北岳）至於碣石（冀東樂亭縣）接海。一條稱中條，分兩支，一支從西傾（甘、青交界）、朱圉（甘肅甘谷縣，屬秦嶺山脈）、太華（陝西華陽，即華山）、熊耳（河南盧氏縣）、外方（河南登封縣，即嵩山）、桐柏（河南桐柏縣）至於陪尾（河北安陸縣）；另一支從嶓冢（甘肅西和縣）、荊山（此處爲湖北荊山）、內方（湖北鍾祥，今名章山）至於大別（鄂豫皖交界）。一條稱南條，從岷山之南（今烏蒙山脈）、衡山（即南岳），過九江至於敷淺原（江西鄱陽山，即廬山）。這三大山脈，北條在黃河以北；中條在長江和黃河之間，其中一支在黃河南岸，一支在長江北岸；南條在長江以南。歷經滄桑，這些自然地理面貌基本沒有變化，只是名稱有所不同而已。

〈禹貢〉記載了九條水系，據說這些河流都經過禹的疏通，恐難完全相信。禹的一生不可能完成這樣多的工程，只能是世世代代人們努力與自然奮鬥興建水利的結果。文中說禹導九水，是誇大之辭。但是，這九條水系是存在的。第一條是疏導弱水（發源於祁連山，又名張掖河，今名黑河）經甘肅張掖入寧夏，下游流入居延海（蘇克諾爾和嘎順諾爾二湖）。第二條是疏導黑水（今怒江，一說今瀾滄江）至三危（一說甘肅敦煌，一說甘肅岷山之西）下游流入南海。第三條是疏導黃河，從青海的積石山至陝西龍門山，南流至華陰，東流至山西河南交界的底柱山，再東過孟津（河南孟津縣），東流匯合洛、汭二水到大伾（河南汜水西北），而後北流過洚水（淇水或漳水）到大陸澤（古湖泊，今河北任縣西北，已湮沒）後分爲九條支流入海。第四條疏導從甘肅西和縣嶓冢山發源的漾水（漢水源流）東流爲漢水，至大別（漢陽東北）入江，向東匯爲彭蠡（澤）湖，東流入海。第五條疏導長江從岷山開始，向東分支流爲沱水，東流合澧水（湖南澧縣），過九江至東陵（河南固始縣），蜿蜒東流會合淮水入海。第六條疏導沇水（發源於山西王屋山）東流爲濟水入黃河，河水流溢爲滎澤（漢時淤爲平地），東流至陶丘（山東定陶）再東流至菏澤（山東荷澤縣），再東北會合濟水，再東北流入海。第七條疏導淮河，從河南桐柏山發源地東流，會合泗、沂二水東流入海。第八條疏導渭水，從烏鼠山（甘肅渭源縣）東流會合澧水（發源陝西寧陝縣，已湮沒），再東流會合涇水（發源六盤山經平涼、涇川注入渭河）、漆水（發源陝西銅川）、沮水（發源陝西耀縣）入黃河。第九條疏導洛水，從熊耳山（河南盧氏）發源地東北流至洛陽與漳水、瀍水，再東流會合伊水入黃河。

河流不像山脈，它的變化比較大。有些河流的名稱古今不同，其中有的名稱學者考證結論不一，但黃河、長江兩大水系的脈絡還是清楚的。長江水系自古以來變化不大，而黃河水系的變化卻相當大，黃河主河道多次改變，有些支流和湖泊已經湮沒，但仍能查尋出痕迹。

從〈禹貢〉的記載來看，夏代確實已經建立了國家，有了行政管理，有了徵賦制度，有了大規模興建水利工程的組織能力，表明已經產生了國家機器。

❖〈甘誓〉

《夏書》中的〈甘誓〉是夏代初期禹的兒子啓討伐有扈的戰前誓師詞。《墨子．明鬼篇》曾全文引錄，《莊子》、《呂氏春秋》等書均也曾經引用。學術界較普遍地認爲這是一篇比較可靠的文獻，大約是周代根據夏代留傳下來的材料寫定的。司馬遷《史記．夏本紀》說：「有扈氏不服，啓伐之，大戰於甘，將戰，作〈甘誓〉。」〈書序〉也說：「啓與有扈戰於甘之野，作〈甘誓〉。」有扈是一個部落聯盟的名稱，甘是地名，啓是繼承父親禹之位的夏朝開國的君主，《墨子》引錄時作〈禹誓〉，說是禹伐有扈。據各種文獻，夏與有扈是經常發生戰爭的，禹也與有扈進行過幾次戰爭，在啓時又進行多次戰爭直至決戰。所以，多數文獻作爲啓在決戰前的誓師詞。

有扈是當時陝西中部和東部的一個比較强大的部落聯盟，其中心在今陝西戶縣。夏的疆域中心在今晉南豫西一帶，雙方接壤。從文中夏軍的布陣和決戰布署來看，有扈的軍隊也是强大的。夏建立的奴隸制國家要向外發展，便受到有扈的阻礙。有扈有了强大的軍隊並有進行頻繁戰爭的能力，其社會發展水平也不會相距過遠，它向外發展也必然受到夏的阻礙。經過多次戰爭之後，終於在甘（今陝西戶縣西南）這個地方進行最後決戰。這是一次初建的奴隸制國家和一個正向奴隸制國家過渡的氏族部落聯盟進行的戰爭。

全文簡短，只有一八八字。開始呼軍中執事人員命聽誓言，接著便宣布敵方罪狀，申明軍紀。征伐用的誓師詞，大多是這樣的寫法。

〈甘誓〉中宣布有扈的罪狀是「威侮五行，怠棄三正」八個字，因而討伐是「恭行天之罰」。這裡的「五行」、「三正」的解釋，歷來注說紛歧，所謂「五行」，指金、木、水、火、土五種物質元素，由五種元素構成萬物。這是戰國時期流行的思想。「三正」的「正」通「政」，「三」不一定是確數，指幾種重要的政治措施。「代行天罰」，是周代「代行天德」的政治用語，這些語言不是夏代當時的用語，而是本文寫定年代的措辭。這八個字的意思是說有扈違背天道，其政治措施背棄天德，所以要進行討伐，代替天來懲罰他們。

〈甘誓〉所申明的軍紀是要求軍隊的全體人員努力克盡職守，完成各自的戰鬥任務。完成任務的在先祖神位前頒行賞賜；不努力完成任務的則予「孥戮」。「孥戮」可以解釋爲或作爲奴隸，或加以刑戮⑦。從這裡可以看出，以罪人爲奴隸，是奴隸制國家的律條之一。

據史載，這次戰爭的結果是夏啓取得最後勝利，較之其他的部落聯盟，夏朝是發展水平較高，力量比較强大的。

第四節 《商書》

商王朝，是在長久的歷史過程中，從黃河下游的一個古老部落發展起來的。傳說商的始祖契曾佐禹治水，又曾是禹主管文教的官。傳十四代到湯，以亳（今山東曹縣南）爲都，勢力伸及泰山附近地區以至渤海沿岸，那時已經建立强盛的國家。

湯，又名太乙。他以伊尹爲右相，以仲虺爲左相。他們都是後世稱道的賢明能幹的人。這時正是夏王朝由暴君桀統治的時候，湯在滅了鄰近的十幾個部落和小國以後，出兵西進進攻夏王朝。雙方會戰於鳴條（今山西安邑縣北三十里南坡口），夏桀失敗逃亡，夏王朝被推翻。商王朝建立，以商丘（今河南商丘市）爲政治中心。

湯建國後相繼幾世傳了幾個王，王朝一直進行爭奪王位及貴族內部的奪權紛爭，因而衰落下去。傳到十世第二十個王盤庚，遷都到殷（今河南安陽）；此後的商，又稱爲殷。

盤庚以下的一世爲武丁，是商的第二十三個王。他比較了解民間疾苦，任用甘盤、傳說爲相，努力振興國家，又連續向四方用兵，攻打活動在今山西、河套、陝西、荊楚一帶的游牧部落，把勢力伸展到西北、內蒙和長江流域。他在位五十九年，死後被尊爲高宗。

傳到十六世第三十個王帝乙，對江淮用兵取得勝利，又遷都於朝歌（今河南淇縣）。十七世第三十一個王帝辛，就是紂。他是一個出名的暴君，親帥大軍征伐東夷，雖然得勝，卻消耗了國力，加重了人民負擔。公元前十一世紀，周武王乘機起兵滅商，結束了商王朝約五個世紀的統治。

現存《商書》五篇，記述的是商王朝從興起到滅亡這一漫長歷史時期中的幾個個別事件。這些篇章，大都是後來根據商王朝遺留下來的材料編寫的。對照殷墟發掘的甲骨文和一些金文，其中所記史迹基本可信，所以它們是研究商代歷史的重要史料。

❖〈湯誓〉

〈湯誓〉是湯出兵伐桀的誓師詞。其寫作的年代，學術界多認爲寫於戰國時期。

〈書序〉說：「伊尹相湯伐桀，升自陑，遂與桀戰於鳴條之野。」這是說湯在伊尹的輔佐下，越雷首山自風陵渡登岸，與夏桀在鳴條會戰。誓師詞是在會戰前發布的。

全文簡短，僅一四四字，以「王曰」二字開頭。〈湯誓〉和〈甘誓〉的內容有明顯不同。〈湯誓〉在短短的講話中，反覆解釋他出師的原因是爲了懲罰殘暴，解除人民的苦難。他譴責夏桀破壞生產，浪費民力，失去人民支持，自己作出注意民意、關心生產的姿態。他反覆解釋的目的，在於希望取得羣衆的支持。同時，他又口口聲聲假託天意，說明讓羣衆扔下農活來打仗，是因爲執行天意，不得不這樣做，支持他，也就是聽從天意。這說明敬畏上帝的迷信思想，是統治當時社會的思想，而統治者正利用這種迷信思想，把自己裝扮爲上帝在人間的代表，假託自己的行動完全是天的意旨，從而對人民實行精神上的統治。

從這篇講話中，還可以看到農業生產在商初已占居重要的地位。湯軍隊的戰士不是奴隸，而是當時的平民。

❖〈盤庚〉

〈盤庚〉篇幅較長，文字澀深，而且有不少脫衍和錯簡。就其內容來看，保存了不少殷商時代的原始資料，學術界近來多認爲是周初時期，根據殷商檔案文獻資料整理寫成的，在《商書》中史料價值最高，是研究商代政治、經濟、文化的不可多得的材料。

〈盤庚〉的內容是殷王盤庚遷都於殷對臣民發布的號令和講話。古文《尚書》把它分爲上、中、下三篇，其實三篇內容一致，還是合成一篇爲好。上篇記遷都後臣民不安於新都而有怨言，盤庚發布講話。中篇記遷都之前對臣民發布的講話。下篇記初到新都後對臣民的講話。這裡的上篇和中篇、下篇可能顚倒了，因爲中篇所記是未遷之前的事，下篇所記是初到新都的事，上篇所記是遷都定居後的事。這樣的顛倒，可能是錯簡所致。

據說，在盤庚遷都前，商朝曾遷都五次，盤庚這次遷都是從奄（今山東曲阜）地遷殷。中篇記盤庚遷都前，當時曾引起舊貴族的反抗和臣民的驚擾，盤庚把許多反對者召集到王庭之內發布講話。他反覆說明他決定遷都是爲了使大家免除災禍，安定國家，申明這個決定是不能改變的。他舉出先王有遷都之例在前，他決定遷都是順從先王的意旨爲他的子民謀幸福，破壞他的遷都大計，就會得到祖先降罪，他就要給予滅種的懲罰。

下篇記述初遷殷地之後安頓住地，規劃宗廟宮殿之後，盤庚召集臣民發布講話，勉勵臣民努力重建家園。他又重覆申明他之所以遷都，是仿照先王以遷都爲國家建立豐功偉績的先例，是執行上天的意旨來拯救臣民，恢復成湯的大業。他命令全體臣工恭謹從事，克盡職守，同心同德，他將根據他們功勞大小給予獎勉。

上篇記述遷都之後臣民不安於新都發出怨言，盤庚召集貴戚大臣講話，並要求他們把他的話傳達給全體臣民。他反覆說明他遷都的理由。他覺察到臣民所以不安於新都，是由於舊貴族和大臣借機煽動、蠱惑人心的原故，所以他打算整飭法紀，對他們進行嚴厲的訓誡，警告他們必須克盡職守，不許亂說亂道，否則必將懲罰。

〈盤庚〉全文內容大致如上。其實，盤庚所說的遷都理論，翻來覆去，不過是兩個：一個是遷都可以使國家安定，避免災禍，振興國家，一個是遵從先王的意旨。他用以進行威懾的手段也是兩個：一個是運用手中的生殺予奪之權予以嚴厲懲罰，一個是說各大臣的祖先也將對他們降罪。

盤庚以前的幾世商王窮奢極慾，爭奪王位的戰爭延續不斷，人民流離失所，附屬國紛紛叛離，舊貴族掌握大權爲所欲爲。盤庚在講話中也批評了貴族和大臣們「虐民」、「非德」、「戎毒」、「敗禍奸宄」、「作福作災」乃至使農人「不昏作勞，不服田畝」，不事生產。盤庚說遷都是爲了安定國家，指的是舊的秩序不能再維持下去，轉移到一個新的地域重建政治秩序。

〈盤庚〉還反映了王是受上帝之命來統治天下的，他的活動都是上帝的意旨。商王，生爲人主管活人，死後成神管死人，祖先神和上帝神統一起來；敬畏鬼神，主要是敬畏帝王。這種精神統治，在〈盤庚〉裡反映得也比較清楚。

❖〈高宗肜日〉、〈西伯戡黎〉、〈微子〉

〈高宗肜日〉、〈西伯戡黎〉、〈微子〉都寫於較晚的時期，是在前代流傳的事迹的基礎上寫出的，所以有較多後世的思想。這裡作簡略介紹。

《高宗肜日》的「肜」，釋爲「祭之明日又祭」，淸人孫貽讓《契文舉例》認爲：「肜日」當爲「昜日」之形誤，「昜日」即更改日期的意思。高宗名武丁，是殷代有武功的名王，曾征伐四方，擴展疆域。文章記述賢臣祖己對高宗的諫誡。內容寫高宗祭祀成湯時，一隻野雞飛在鼎耳上啼叫。由於祭品過於豐盛，祖己借機諫誡高宗，祭祀首要的是正心，上天考察是否以義、德來對待人民，由此來決定降福延長其壽命或致罪縮短其壽命，所以祭品不要過於豐盛。這裡提出的「義」、「德」顯然不是商代的思想意識。

《西伯戡黎》的「西伯」，指周文王姬昌，西伯是殷紂王給他的封號。那時周還是殷商的附屬國，可是勢力已經發展强大。紂王是歷史上著名的暴君，他施政暴虐，耽於淫樂，姬昌便作滅殷的準備。黎是當時一個小國，也是殷的附屬國。姬昌爲了擴張自己的勢力，翦除殷商的屏障，便出兵攻滅了黎。本篇記言兼記事，記述大臣祖伊聽說西伯戡黎的消息十分恐懼，趕快告訴紂王，同時向他說明國內的危機，指出由於王沈緬酒樂，上天降下災荒；由於不遵法度，臣民都盼望殷國滅亡。紂王卻回答說：我是接受天命的，老百姓能夠把我怎麼樣呢？祖伊回來嘆息說：紂王有罪行而不覺悟，殷國就要滅亡了。全文記載的事實與歷史是吻合的，語言和「天命無常」等思想卻是周代的，所以有人推斷是東周的作品。

《微子》記述微子和父師、少師的談話。微子是紂王的哥哥，「子」是爵位，父師、少師都是官名。他們這次談話的中心問題是分析國家行將滅亡的原因。討論各自應抱的態度和進退出處。微子的談話內容有兩點：一點是殷國目前的危機處境，是由於紂王敗壞了成湯的傳統，沈緬酒色，法度不明，政治昏亂，上下爲非作歹，招致人民反對，必然趨於敗亡；另一點是他打算返回封地，隱遁山林。父師談話的內容也有兩點：一點是他認爲殷國的行將敗亡全是國王一人的罪行，小民衣食無著乃至偷祭品充飢，國王卻仍以殺戮重刑搜刮民財，這必然招致上天的懲罰；另一點他認爲應該剷除禍根，不過他也不反對微子的做法，認爲可以各行其事。這一篇也是後人追記的。

第五節 《周書》

《周書》十九篇，占現存《尙書》篇數的三分之二。這十九篇的體裁，有誓詞三篇：〈牧誓〉、〈費誓〉、〈秦誓〉；記事兩篇：〈金縢〉、〈顧命〉；通告臣民的誥辭四篇：〈大誥〉、〈多士〉、〈多方〉、〈呂刑〉；告諸侯誥辭四篇：〈康誥〉、〈酒誥〉、〈梓材〉、〈文侯之命〉；臣告君之辭四篇：〈洪範〉、〈召誥〉、〈無逸〉、〈立政〉；君臣及臣與臣之間謨辭兩篇：〈洛誥〉、〈君奭〉。其中，誥辭、誓辭絕大多數是原來的檔案文獻，其餘的也是根據原來文獻加工的。〈洪範〉、〈無逸〉兩篇，歷代都很注意，是研究、討論最多的名篇，我們重點介紹這兩篇，其餘文章只作簡略介紹。

❖〈洪範〉

〈洪範〉是包括自然、政治、宗教各方面內容而具有完整思想體系的論文。周武王伐殷勝利之後，封箕子爲殷的繼承人，他訪問箕子，詢問治國安民的大法。本篇開頭採用回答形式，箕子回答武王的問題，陳述自己的意見，由後人追記爲這篇文章。「洪」是大的意思，「範」是法的意思，「洪範」的意思就是大法。學術界多認爲寫定於戰國時期。

箕子陳述治國安民的「常道」（通常的原則，即大法）有九條，即「洪範九疇」，其要點如下：

第一，五行：水、火、木、金、土。水向下滲透而潤下，味咸；火向上燃燒而炎上，味苦；木可彎曲伸直，味酸；金可以熔鑄變化，味辛；土可以生產百穀，味甜。

第二，認眞對待五事：一是容貌恭敬，則表情嚴肅；二是語言聽從，則辦事順利；三是視察清楚，則明辨一切，四是聽受聰敏，則謀事成功；五是思慮通達，則聖明。

第三，辦好八政：一是管理民食；二是管理財物；三是管理祭祀；四是管理住行；五是管理教育；六是管理司法；七是接待賓客；八是治理軍務。

第四，使用五紀：一是歲；二是月；三是日；四是星辰；五是曆數。

第五，建立皇極，即樹立君主治理臣民的至大公正的標準，降給人民以「五福」。這樣，人民都依這個標準努力。重視有計謀、有作爲、有操守的人，寬容未達到標準但沒有錯誤的人，給予鼓勵。不欺侮孤苦無依的鰥寡，不懼怕高明顯赫的貴族。促使有作爲有才能的人發展德行，給正直的人以優厚的俸祿和照顧，任用優秀的人爲國辦事，遵守先王的正道，王道寬廣；沒有朋黨和偏私，王道平坦；沒有反覆和偏心，王道正直。執行這些標準，讓所有的人提出好的意見，予以採納，那麼天子作爲人民的父母，就能使天下歸向王道。

第六，三德：一是正直；二是以剛制勝；三是以柔制勝。採取或剛或柔的方式，根據不同的對象，以剛制剛，以柔制柔，以剛補柔，以柔補剛。只有君主才可以給人以賞賜或懲罰，才可以玉食，臣下不可作威作福和玉食。

第七，稽疑，靠卜筮。遇有疑難，依次和卿士、人民商量，最後卜筮。這四方面的意見一致、就叫「大同」。若不完全相同，仍以卜筮結果爲準。

第八，庶徵：所謂庶徵，就是看各種不同的徵兆，一是雨，二是晴，三是暖，四是寒，五是風。這五種氣候調順，作物生長茂盛；若不均勻，就是凶年。出現好的徵兆，在於君王肅敬、政治良好、昭明、善謀、通達事理；反之，出現不好的徵兆，在於君王狂妄、政治差錯、放縱逸樂、急躁、糊塗。君王和大臣的過失，都會感應上天發出徵兆。

第九，五福：一是壽；二是富；三是康寧；四是好德；五是長命善終。六極：一是夭折；二是多病；三是憂愁；四是貧窮；五是醜惡；六是懦弱。

〈洪範〉開始敍述水、火、木、金、土五行，說明這五種元素的性能，並把注意這五種元素及其性能作爲治國之本，這是保存原始的五行說的材料。但是，它緊接著卻把包括這五行在內的自然界的一切發展變化，如雨、晴、暖、寒、風乃至豐收和凶年，都認爲有上帝來主宰，從而把五行說納入神學世界觀之中。〈洪範〉又認爲，自然現象和社會人事是相通的，上帝對君王和大臣們的行爲都是明察的，通過自然現象向人們發出徵兆，而且每一種行爲，都聯繫一種自然現象，所以人世的休咎，從五氣的徵驗就可以知道，而且從這裡也就可以知道天意。在〈洪範〉中已經開始形成天人感應的學說體系。

〈洪範〉宣揚神權，它通過「五福」、「六極」的報應之說，宣揚行善的人將得到福佑，作惡的人會得到災禍；王執行天意，代行神的權力，給行善的人以福祿，給作惡的人以懲罰。它又極端誇大占筮的作用，宣揚占筮是人們預知天意的方法。這些，都屬於神祕主義的宗教神學體系。

〈洪範〉還企圖確立君王至高無上的權力和地位。在第六條「三德」中，它規定了君王的特權：「惟辟作福，惟辟作威，惟辟玉食」，只有君王才能夠給人賞賜，才能夠給人懲罰，才能夠享受美食；而臣下如果這樣做，就會獲得災禍，就會大亂。至於那些被君王任用做官的人，都可以獲得豐厚的俸祿；所有的臣民都必須自覺地服從君王的意志及其建立的道德規範，求取君王賞賜幸福。這是徹頭徹尾爲奴隸制度服務的皇權理論。

❖〈無逸〉、〈召誥〉、〈立政〉

〈無逸〉是《尚書》中一篇文字流暢、中心突出、條理分明、層次清楚的佳作，標誌著中國散文早期發展的較高水平，歷來被高等學校選爲散文教材。

周武王建立西周王朝後不久死去，其子成王年幼，由其弟周公姬旦攝政。成王成長之後，周公怕成王「有所淫佚」，寫了這篇〈無逸〉來告誡成王。由於本篇文字流暢，與同時期其他誥詞語言風格不同，近人疑爲春秋末年寫定。

全篇分爲三段，要點如下：

第一段，周公首先告誡成王：君子應該「無逸」（不貪圖安逸享受）。要做到「無逸」，要「先知稼穡之艱難」，了解「稼穡之艱難」，便了解「小人」的疾苦。

第二段，總結歷史教訓，論證「無逸」的重要。首先，總結殷的教訓，舉中宗、高宗、祖甲三王爲例，說明這三王都能了解人民的疾苦，因而勤於政務，享國日久。再舉殷的後王爲例，說明這些後王生下來就貪圖安逸，耽於享樂，所以享國甚短。其次，舉周先王爲例，贊揚文王知人民之疾苦，寬厚待民，勤於政務，從不安逸享受，所以承受天命，享國五十年。接著，要求成王不要貪圖安逸享受，而以殷的後王爲戒。

第三段，論證應該如何對待「小人」的怨詈。周公仍舉殷三宗和文王爲榜樣，說明這四位明君聽到「小人」的怨詈，不是亂施懲罰，而是「皇自敬德」，修明政治。反之，如果一聽到怨詈便亂罰無罪，殺無辜，只會使怨詈乃至詛咒更加强烈。最後希望成王以歷史爲鑒戒而結束全文。

這篇文章總結了殷商敗亡的歷史教訓，一方面要求統治者不貪圖安逸享受而勤於政務，一方面修明政治，寬以待民，保持政治的安定。作爲新興王朝政治家的周公，他總結歷史經驗，是爲了用以指導統治者的思想和行爲，求取周王朝的長治久安。

〈召誥〉和〈無逸〉的內容相近。

周公攝政七年，決定還政成王。成王派召公主持營建洛邑。營建過程中周公曾去視察，因而作〈召誥〉、〈洛誥〉。召公奭也是周初輔佐成王的名臣，舊注說本篇是召公作，所以標題

〈召誥〉，但細察文章內容的思想和語氣，仍像是周公所作。

全文分四段。

第一段敍述營建洛邑的過程和一些情況。

第二段總結殷商敗亡的教訓，說明天命不可恃，祖宗不可恃，惟敬德可保天命。殷的後王殘虐百姓，所以上天將大命由殷轉移給周，因此要保住政權必須敬德。

第三段說明鞏固政權任務艱鉅，營建洛邑有利於統治全國，治理殷民仍須推行德政。

第四段以夏、殷兩朝滅亡的教訓說明敬德的重要性，只有敬德才能祈天永命，國王必須具備天子的品德，以小民的安樂來「受天永命」。

全文的中心是「敬德」二字，所謂敬德，包括兩方面的內容，一是敬天，一是保民；這二者密切聯繫在一起，因爲天意是保民的，只有保民，才符合天意，才能永遠保住天命。在這裡，「天命無常，唯德是從」的周人的天命觀，表現得相當清楚。周初開明的奴隸主政治家用這種思想來指導自己的行動，在當時確實起了緩和階級矛盾，促進社會發展的積極作用。

〈立政〉一篇也是周公對成王的誥辭。

周公還政成王後，國家政局已經穩定，爲了建立良好的行政，周公總結歷史經驗提出用人和理政兩個問題。全文分三段。

第一段總結夏、殷兩代用人和理政的經驗教訓。夏、商賢王的成功經驗概括為任人以賢，從政務、理民、執法三個方面考察，從有德有才不事虛名來選拔。桀紂的失敗教訓是任用任刑棄德的人，所以政治黑暗。

第二段總結文王、武王用人和理德的經驗，指出他們除了像成湯一樣從三方面考察官吏，並且了解官員的心地，設立各類專職官員各司其職，內外工作都有專責，不代替各專職官員發布命令，對司法事務不作不適當的干預。

第三段對成王提出希望和要求：一是照先人的傳統任用賢明的官吏，不越俎代庖，不干預司法。

周公是位善於總結經驗的政治家，他總結的用人和理政的經驗，在中國古代政治中有長遠的影響。

❖〈大誥〉、〈多士〉、〈多方〉、〈呂刑〉

〈大誥〉、〈多士〉、〈多方〉、〈呂刑〉四篇都是以周王名義對臣民發布的通告。這四篇都是周王室原來的檔案文獻。

〈大誥〉是周公東征的誥辭。

武王死後，周公攝政，武王的弟弟管叔、蔡叔、霍叔，勾結殷殘餘勢力武康發動叛亂，周公決定東征。東征前，統治集團內部意見並不一致，有些人提出種種理由反對，周公用周王的名義發布了這篇誥詞。全篇分兩大段。

第一大段，周王分析當時國家存在兩方面的困難，一是國家統治集團內部的矛盾，武王死後，王室內部互不信任，政見不一；二是殷殘餘勢力圖謀復辟。面對這樣的局勢，他提出用戰爭解決問題。

第二大段，周王極力說服反對派，說明東征的必要與可行。反對派的理由主要有兩條：一是困難大，民心不靜；二是叛亂者屬於王室內部，是國王的長輩，不應討伐。周王首先說明不是不考慮出征的困難，然而平叛是完成文王開創的事業，不能憂慮自身的安危。他指出反對派也都是文王的舊臣，應了解文王創業的艱辛，全力去完成文王未竟之業，通過各種比喻說明除惡務盡的必要。其次，他又一再宣揚東征是上帝的意旨，他通過文王遺留的大龜占卜而預知天意。

從全篇的內容來看，它反映了周初的國內形勢和嚴重複雜的政治衝突，周公克服重重困難，正確地採取了用武力鎮壓內部叛亂和殘餘敵人復辟的對策。天意和占卜，不過是周公推行自己政策所假借的手段。

〈多士〉是周公向殷民發布的通知，也是以周王的名義發布的。時間在成王元年三月。周公平息三監和武庚的叛亂後，把殷殘餘的頑抗勢力，集中遷徙到洛陽附近新建的成周，進行監管。「多士」，指的就是殷的遺民，即殷王朝殘餘的貴族。本篇分兩大段。第一段向殷民說明周滅殷的理由。他以殷商的先王成湯革夏的史實爲證，論證成湯因爲夏的嗣王淫逸暴虐而奉天命取代之，這是合理的。殷的滅亡是咎由自取，是天意，殷民必須服從天意。

第二段向殷民發布誥令：一、宣布對參與叛亂的殷民實行寬大，不再治罪；二、將殷民遷徙來此是上帝的命令，不得怨言；三、對殷的「多士」不再任用；四、殷民只要順從統治，給予土地，讓其過和平生活，否則嚴懲不貸。

這篇誥辭反映了西周統治階級爲鞏固政權，徹底消滅被推翻敵人的復辟活動，對殘餘敵人實行鎮壓和寬大相結合的策略。周公統治和改造敵人的工具有兩個：一個是神權，從精神上來馴化敵人；一個是王權，用懲罰來鎮壓敵人。

〈多方〉也是周公以成王的名義發布的誥辭。三監和武庚的叛亂，既有殷人參加，追隨者也有當時的「徐戎」、「淮夷」及四方諸侯小國。這篇文告是向四方小國發布的，所以叫「多方」，作於東征勝利從奄（今山東曲阜東）地歸來之時。奄是當時一個追隨叛亂的小國，爲周公攻滅。文章分三段。第一段分析夏亡商興的原因，夏亡在於一不敬天，二害民；商興是因爲明德愼罰。第二段說明夏、殷的滅亡都是因爲嗣王的罪行招致天罰，咎由自取；周的興起是承天命，四方諸侯應服從周的統治。第三段要求四方諸侯親附周朝，共享天命，如若再發動叛亂，將再進行征伐，並按罪行輕重給予不同懲罰。

在這篇文告裡，周王朝統治四方部族小國的工具也有兩個：一個是上帝神，把周王朝裝扮成代表上帝推行德教的當然統治者，這是軟刀子；一個是軍隊征伐，暴力鎭壓，這是硬刀子。從這篇文告，我們也可以看到當時周王朝與四方小國的關係，各小國並未心服。

〈呂刑〉是以穆王名義發布的關於司法問題的誥辭。

穆王是西周的第五代王，輔佐大臣是甫侯。甫侯建議穆王制定和頒布國家的刑律，所以本篇篇名一作〈甫侯〉。這個文告並沒有頒布具體的法律條文，而是論述立法理論和司法原則，是研究周代社會和西周法制的重要文獻。全篇可分三大段。

第一大段，首先敍述上古蚩尤制律嚴苛，濫用酷刑，殺戮無辜，社會道德和秩序反而混亂，結果蚩尤受到上帝的嚴懲並降禍給他的種族；舜把刑政和德教結合而天下大治。文章反覆說明濫刑的危害，强調德教和愼刑。

第二大段，重點說明刑律的條目和審理案件的原則。刑罰分作三大類：五刑、五罰、五過。五刑是肉刑，爲墨刑（臉上刺字）、劓刑（割鼻）、剕刑（斷足）、宮刑（割去生殖器）、大辟（死刑）；五罰爲不等的罰金；五過爲較輕微的處罰；其中五刑的條款有三千條。對審理案件提出三條原則，一是懲罰與罪行相符，不濫刑，也不寬縱；二是認眞核實罪行，判詞與狀詞一致；三是區別偶然犯罪和一貫犯罪，區別亂世和治世，予以從輕或從重的處罰。

第三大段，警戒貪官汚吏，嚴禁貪贓枉法；必須心存公允，不可有所私袒；應該明察案件，量刑一定得當；司法務必謹愼，處理盡量從寬。

貫穿全篇的中心思想是「明德愼刑」，這是西周統治者爲維護統治，建立法制秩序而推行的思想。它雖然一再談到「德」和「寬」，但其刑律仍然是嚴酷的：三千條五刑刑律，又談得上什麼「德」和「寬」呢？法律從來不是什麼仁慈的東西，而是統治階級的統治工具。不過，文章中提到的司法思想和原則，奴隸主階級和後來的封建階級都很難做到，不過作爲一種司法思想理論，還是有許多可取之處的。

❖〈康誥〉、〈酒誥〉、〈梓材〉、〈文侯之命〉

〈康誥〉、〈酒誥〉、〈梓材〉、〈文侯之命〉四篇都是以周王名義給某一諸侯的誥辭。前三篇是周公給康叔的，後一篇是平王給晉文侯的。前三篇和後一篇的時間距離很大。

〈康誥〉是周公對康叔的訓誡之詞。周公平定三監及武庚的叛亂之後，把康叔封在殷地統治殷的餘民。康叔上任前，周公對他作了這番訓示。開頭四十八字與全文不合，當是錯簡所致；宋代蘇軾認爲原來是〈洛誥〉的文字。

這篇誥辭談的是如何統治殷餘民的問題。誥辭開頭就提出「明德愼罰」的原則，然後反覆闡明爲什麼要遵守和怎樣遵守這個原則。爲什麼要遵守這個原則？他以文王實行德政而得天命爲榜樣，說明對殷民也應實行德政，才能根絕反抗。怎樣遵守這個原則呢？他說明不是不罰，而是行罰時愼重處理。對於不是故意犯罪而知悔改者，可以從寬；對於故意犯罪、不孝不友、罪大惡極者，決不寬赦；對於違犯國家大法，激起人民仇恨的大臣，堅決殺掉。最後，周公教訓康叔：治民必須小心謹愼，才能保持世代統治。

這篇文章的中心是兩個字，一個是「德」，一個是「愼」；明德和愼刑，都是爲了消除被統治者的反抗，維護長期統治。中心思想是：天意表現在民情，應該剛柔相濟，德威並用，才能保持統治秩序的穩定。

〈酒誥〉也是周公訓誡康叔的誥辭。康叔是周公的年輕弟弟，周公怕他飲酒逸樂，便用這篇誥辭訓誡他。

內容首先說明上帝造酒是爲了祭祀用，不是爲了給人享受，戒酒是文王的教導，上帝的意旨。他以前代爲例：殷前王從成湯到帝乙都不飲酒，而勤於政務，後王耽酒行樂，結果衆叛親離而自取敗亡。最後談戒酒措施，規定不准「羣飲」、「崇飲」，違者殺頭。從〈酒誥〉來看，這位西周初期的政治家主張勤政，反對荒嬉；他對戒酒問題如此嚴重關切，可見酗酒已成爲統治階級一個突出的痼疾。

〈梓材〉也是周公對康叔的誥辭。文章上、下不連貫處較多，當是錯簡之誤。

全文大意是提出「罔厲殺人」以及對罪犯講寬恕。「罔厲殺人」，就是不殺無罪的人；對犯罪的人講寬恕，就是盡可能從輕處理。這樣做的目的，是使小民能夠安分地生活而不犯上作亂，使殷的遺民能心悅誠服，接受統治。從這裡看，所謂「寬大」政策，也是周公的一種統治手段。

〈文侯之命〉是東周初期平王賞賜晉文侯時所作的誥辭。

西周末年，幽王寵褒姒，廢申后及太子宜臼，申侯聯合犬戎攻殺幽王，會合諸侯擁立宜曰爲王，即平王，遷都洛邑建立東周。晉文侯仇在這次擁立時起重大作用，所以平王以這篇文告褒揚並給予獎賞。全文分三段。第一段寫周的先王創業賴羣臣擁戴和輔佐，當前國家大難，又有大臣扶危轉安。第二段褒揚晉文侯輔佐王室的功勞。第三段給予賞賜和勉勵。

❖〈洛誥〉、〈君奭〉

〈洛誥〉是周公和成王相互遣使送達的來往信件，因是周王的信件，所以也稱誥辭。這些信件寫在周公攝政七年後還政成王的時候，當在成王七年三月。因爲開始談的是營建洛邑，所以稱〈洛誥〉。

全篇分五段。第一段，周公到洛邑視察，報告勘察基地情況；成王作答。二人所談的主要是營建洛邑的事。第二段，周公要求成王到新都⑨舉行祭祀和即位大典，囑咐他注重禮儀，寬厚持政，察看諸侯貢品，永保國運。第三段是成王的回答，他贊揚周公的德行和政績，表示牢記教誨，請周公留洛邑處理政務監督營建。第四段，寫周公答應留守洛邑。第五段，記是年十二月成王祭祀文王、武王，將此事載入史册。

全文的思想和〈召誥〉相同。另外，從這篇文章的來往問答之中，說明了成王七年營建洛邑的理由。洛邑正處於當時天下的中心，與四方交通便利，有利於統治四方新歸附的各小國，也可以更有效地監管遷徙到洛邑的殷頑民。所以西周王朝大力營建為陪都。周公還政後仍負責留守洛邑，正如成王誥辭中所說，擔負的責任仍然是很重要的。

〈君奭〉是周公寫給召公的。這時周公已經還政成王，不能再用成王的名義，所以不能叫「誥」。召公名奭，所以叫〈君奭〉。在武王死後，輔佐成王的有兩位大臣，一位是周公旦，任太師，一位是召公奭，任太保。本文是周公旦致召公奭的信。

全文分三段。

第一段談守業的艱難，從殷的滅亡看到天命不可恃，重在人為。

第二段談大臣的重要，以商、周兩代的歷史事實，說明賢王成就大業都要依靠賢臣的輔佐，因此，他和召公二人責任重大。

第三段要求召公以殷滅亡為鑒戒，二人和衷共濟完成重任。

這篇文章除了已經反覆提到的殷商興亡的歷史經驗，還有值得注意的思想內容：他一方面在許多文誥裡肯定天命，說周代殷是「天命攸歸」；一方面又提到「天命不於常」，即天命不一定能永遠保持下去，所以要敬德保民。在這個思想基礎上，他又進一步强調人的主觀努力。後人把這種思想總結為八個字：「天命無常，事在人為」。

❖〈金縢〉、〈顧命〉

〈金縢〉記周公事，其文字淺明和〈召誥〉、〈大誥〉不類，後人多以爲是戰國時期寫定。〈金縢〉第一段記述武王病重，周公向三王的在天之靈祝禱，祝禱說：自己願意代替哥哥死亡，爲整個國家著想，請留下哥哥的生命，讓自己替死。事後，史官把周公的祝禱詞寫在典冊上，放進用金質繩索捆束的匣子中。第二段記述武王死後，周公執政，有人散布言論說周公有異心，成王對周公產生懷疑。秋天雷電交加，狂風大作，莊稼倒伏，人心惶恐，這時打開金縢之匱，成王看到裡面所藏冊書，爲周公的忠誠大受感動，親自出城去迎接周公。於是雨調風順，獲得好年成。

這篇記事文以上天示警的記述，反映了天人感應的思想。它意在說明：君王有了過錯或改正了錯誤，上天都會通過自然界的變化降災或賜福。這當然是迷信。

〈顧命〉記述成王臨終的遺囑和康王即位誥諸侯。學者多認爲寫定於春秋時期。古文《尚書》將後半篇另立爲〈康王之誥〉一篇。

全文四段。第一段寫成王臨終遺囑。成王臨終前召集召公奭等大臣托孤，要求他們約束康王敬天繼祖遵禮守法，安勸大小庶邦。越二日成王駕崩。第二段記康王登基大典的儀禮陳列。第三段記康王登基大典和諸侯朝貢進行的禮儀。第四段記大典上大臣致獻詞，獻詞內容是希望康王繼先王遺業，整頓軍隊，無辱大命。康王致答詞，宣布繼位爲天子，表示繼承先王的德政。誥命完，禮畢。

從這篇記述中我們可以看到，西周前期所謂成康盛世的指導思想是一致的，他們都以敬天明德爲中心，謹愼地保持祖先的基業。成康之世，正是中國奴隸社會的鼎盛時期。其中關於典禮儀式、兵衞、陳列等具體而詳細的記敍，是研究周代禮制的重要材料。

❖〈牧誓〉、〈費誓〉、〈秦誓〉

〈牧誓〉、〈費誓〉、〈秦誓〉是三篇誓師辭。前者經過後人在文字上整理加工，後二者基本是原來的文獻。

〈牧誓〉是武王伐紂的誓詞。武王以兵車三百輛，勇士三百人，和商紂會戰於牧野（商都朝歌南七十里；今河南汲縣北），所以稱〈牧誓〉。

這篇誓詞也是先陳述敵人的罪狀，然後提出作戰要求，最後申明軍紀。武王陳述紂王的罪狀有三條：一是聽信婦人之言；二是不祭祀祖先；三是不進用同宗長輩和弟兄，而任用壞人爲非作歹，殘害百姓。這裡不談紂王本人荒淫暴虐，而著重提出這三條，很值得注意。在談第一條時，武王舉出古語「牝雞無晨；牝雞之晨，惟家之索。」這是父系制根深蒂固以後所流傳的對婦女極端輕蔑的言論，在男性社會中聽信婦女的話是被所有男子輕視的事，所以把它作爲紂王的一種恥辱提出來。第二條談祭祀問題，紂王罪狀是不祭祀祖先。殷人、周人都敬祖，認爲人死後成爲鬼神仍庇佑子孫，所以祭祀祖先是當時的一種道德規範。紂王不祭祀祖宗，自然是一項大罪。紂王的第三條大罪是不進用同宗。宗法制是奴隸制王朝統治的社會基礎，西周的建立和鞏固，就是把宗法制發展得更完善。紂王破壞宗法制，武王要維護宗法制。

誓辭最後談到的俘虜政策也值得注意。武王說「弗迓克奔，以役西土」，就是不要殺掉俘虜，讓他們到西土服役。西土，指的是周的故土。現代學者公認爲這是把俘虜作爲奴隸。

〈費誓〉原來是魯國的檔案文獻，舊說是周公之子魯侯伯禽伐徐夷所作；近人又說是春秋時魯僖公伐徐夷所作，尚無定論。

周公的後裔封地在魯國，稱魯侯，都曲阜。徐淮一帶部族聯合叛亂，圍困曲阜，曲阜以東盡入敵手，魯侯在費（今山東費縣東）地誓師討伐，所以叫〈費誓〉。

這篇誓詞和前幾篇誓詞不同，它沒有陳述敵人的罪狀，一開始就以居高臨下之勢，嚴厲地發布命令。魯侯以大奴隸主十足的派頭發號施令，既不講天命，也不講德政，只是一條條嚴格的要求：從戰備、保護牛馬和奴隸、出發和準時到達，以及在全國徵發兵士和徵用物資，都必須按要求一一做到，否則就要殺頭。在這裡，我們看到撕去周公那一套「德」、「善」面具的奴隸主的眞實面目。

《秦誓》是春秋時期秦穆公所作的誓詞。它和以前誓詞的不同之處，不是寫在出師之時，而是寫於戰後。據《左傳·僖公三十三年》，秦穆公派大將孟明等三人率師伐鄭，大臣蹇叔曾極力勸阻，穆公不聽，結果遠道奔襲，於崤山遭晋軍伏擊而大敗。穆公總結失敗教訓，自責自悔，作《秦誓》。

全文簡短，但內容充實，語詞懇切。他眞誠地向全體士兵檢查自己的過失，發布誓詞，表明改正的決心。他首先引用古語，說明不要責備別人，而要聽取別人的責備，接受別人的勸告。他公開檢查自己的錯誤是疏遠那些不順從自己意見的人，而親近那些一味隨聲附和的人，軍國大計不去請教年老經驗豐富的人。接著他列舉三種人，一種是品德高尚的老人，這種人可以保住子孫和臣民的幸福；一種是身强力壯的勇士，本領高强，但這還不夠；一種是花言巧語心胸狹隘的人，這種人危險。最後，他總結出：國家的危難或安寧，在於君主用人是否得當。在公元前七世紀，這種改正錯誤的精神是難得的。據歷史記載，由於秦穆公任賢，後來終於打敗晋軍，成爲霸主。

第六節《尚書》的訓詁、版本和義理研究

❖古代的研究

歷代研究《尚書》的學者很多，各代史書中的〈藝文志〉或〈經籍志〉，都著錄一批《書》類書目，或佚或存，還有許多未曾著錄的。《四庫全書總目》從清代存書中挑選出有價值或較有價值的《書》類專著共有一三四部⑩；正續《清經解》收錄清人《書》類專著三四部。僅就現存的古籍來說，加上羣經總論和小學之中有關《尚書》的研究，估計總數不在千種以下，這些還未包括近代和現代出版的專著和論文。這些大量的研究資料，主要集中於訓詁、版本、義理三個研究方面。

訓詁是《尚書》研究的一個十分重要的部分，這是因《尚書》語言的特點所形成的。《尚書》的語言古奥難解。韓愈在〈進學解〉中作了準確的概括：「周誥殷盤，佶屈聱牙。」所謂「佶屈聱牙」，指的是文字艱澀，語句拗口。它表現有三個特點：

一是詞彙古老。《尚書》中大部分是西周初期的文獻，所使用的詞彙，有許多有它的古

義；這些古義，不但在現代漢語中不應用，在秦漢以後的古文中也不再應用，連戰國時代的《左傳》和《國語》中也不多見，所以準確理解詞義比較困難。

二是語法變化。《尚書》的詞序安排和後代有所不同，這樣不但讀起來彆扭，也影響句意理解。

三是虛詞很少。文言虛詞用於表示語法關係和語氣，可以使語義明確、語句順暢。《尚書》很少用虛詞，不但拗口，還常常難以斷句，因而意義更艱澀難明。

由於這三個特點，造成了《尚書》閱讀的困難。當然，《尚書》中也有一些基本詞彙的意義沒有變化，甚至某些成語一直保留到今天，寫成於戰國時代的幾篇，其語言較接近《左傳》、《國語》，但是，要完全讀懂，難度仍很大。在漢代，司馬遷已經不能完全讀懂，他只能把懂了的抄到《史記》裡，不好懂的，他都迴避了。司馬遷這樣有古文修養的史學家尚且如此，一般讀者閱讀更難。所以從西漢《尚書》開始流傳時起，便興起訓詁其字、詞、句的傳注之學。後來歷經各代，至清末而不衰。

據《漢書．藝文志》著錄，漢代的《尚書》傳注有今文、古文兩派九家。漢儒重師法門戶，九家傳注各異。綜而言之，今文學派的注釋煩瑣而不切實際，古文學派的注釋比較簡明，注意文字、名物訓詁。漢末的鄭玄以古文經學爲本，兼采今文諸家可取的注說，作《尚書注》，可說是集兩漢注釋的成果，流傳數百年。可是，限於時代水平，有些地方鄭玄也還沒弄懂，所以後世仍然要繼續研究。

東晉出現通行千餘年之久的僞《孔傳古文尚書》。這樣成篇成本弄虛做假的事，固然可惡，但客觀來看，其傳注綜合吸收了千年傳注的成果，注釋簡明，句句有語譯，易於閱讀，注釋水平也較以前通行的鄭注本有所提高。唐·孔穎達又以這部僞古文《尚書》爲本，爲其正注加疏，完成《尚書正義》。現在收在通行本《十三經注疏》中的，就是這一部，至今，它仍是一個較好的注本。

宋代經學重考辨，對《尚書》作了不少新的注釋。朱熹弟子蔡沈的《書集傳》是明清科舉法定本，後匯刊於《四書五經》叢刊。清初王夫之著《書經稗疏》，有理有據地駁正《東坡書傳》和蔡沈《書集傳》釋文之誤。清乾嘉學派致力於文字名物訓詁考證，孫星衍《尚書今古文注疏》是現代有價值的《尚書》注釋名著。清人注疏《尚書》的著述較多，對字詞名物的訓詁大都立足於比較精詳的考證，對前人誤注有許多訂正，這種方法一直影響到清末民初的治經學者，他們對《尚書》某些字、詞、名物的考訓，各有創獲。

二千多年的《尚書》訓詁，總括來看是有很大成績的。沒有歷代的這些注釋，今人根本讀不了這部歷史檔案文獻。但這不是說古注本已經完善，古人的注釋還有許多分歧之處，在文字上也有明顯誤注，直到今人的注本，字詞句意仍然有許多不同的解釋，有待於繼續辨正。

除了語詞訓詁，版本眞僞及其源流的考證，也是歷代《尚書》學的重要內容。所謂版本研究，包括全書以及其中某些篇章的辨僞和校勘。《尚書》的版本，在十三經中是最多的了，如本書第一、二節所述，有今文、古文、僞古文三大系統，其中有眞有假，或眞假摻雜。用科學的方法，從其內容和源流來進行考察，分辨哪些是眞文獻，哪些是假文獻，是非常重要的研究課題，歷代《尚書》學都有這一門學問。我們不再重複那複雜的、又帶有傳奇性的《尚書》史話。清人閻若璩在前人辨正的基礎上著《尚書古文疏證》，以確鑿的實證，證明被尊奉一千多年的僞《孔傳古文尚書》原來是一部僞書，而且考辨出其中哪些篇是眞的，哪些篇是假的。通過這個研究，打倒了一部通行多年的僞「聖經」，而且剝開了它的眞面目，使這方面的辨僞工作告一段落。

但是告一段落並不等於結束，就拿被確認爲眞文獻的原文二十八篇來說，其中有的經過後人的加工整理，有的撰寫於戰國，有些內容顯然是後人加進去的。把這些問題再辨正清楚，還有大量工作要做。

兩千多年中，《尚書》從口耳相傳，到傳抄、刻本印刷，難免會有脫簡、錯簡、或在抄寫、校刻等方面發生訛誤，再加上《尚書》中使用假借字，文字上的問題不少，需要通過校勘和考據來解決。清人阮元的《尚書校勘記》，就是這樣一部成績突出的名著。但這項工作仍有待於後人的繼續努力。

對《尚書》各篇思想內容的研究，即所謂義理研究，在歷代《尚書》研究中成績是最小的。封建社會中儒家對《尚書》內容的解說，主要是發揮儒家的政教思想，把它變爲封建社會的政治教科書。西漢今文學家把三皇五帝傳說和讖緯神學摻進《尚書》義理之中，再加上離題萬里的發揮，不切實際而又煩瑣；古文學家在解釋《尚書》內容時，也離不開二帝、三王、周公、孔子。僞古文《尚書》和托名孔子嫡傳的僞《孔傳》，重在宣揚孔子「修身、齊家、治國、平天下」的思想。即使反漢學的宋學學派，也離不開「聖道王功」，利用義說來上承孔孟，建立儒家的所謂「道統」。直到明清之際的思想家王夫之撰《書經稗疏》和《尚書引義》⑪，尤其在後者之中，通過闡釋經義，評史論政，往往針對時事，陳古刺今，揭露時代政弊，主張社會改革；評說中雖不無穿鑿臆斷之辭，然能不泥於傳統經義，重在經世致用，頗多新見。但是，後來清代的新漢學家卻大多走到典章名物的考據中去，並不深入《尚書》思想內容的研討。

❖現代三家

從近代到現代，《尚書》研究可以舉出較有影響的三個學派。

第一個學派是以王國維、章太炎以及劉師培等爲代表的新訓詁學派。王、章都是古文經學的末代大師，他們以《尚書》爲上古史料，繼承清代考據學傳統，又吸收西方科學精神和研究方法，對《尚書》進行進一步訓詁考辨。如王氏著《洛誥箋》⑫，配合當時初發現的甲骨古辭研究，由字及句，由句及義，釋義注文，突破前儒注經的傳統；又根據卜辭的研究成果，證實殷周記曆法是先紀日，次寫月，後寫年，論斷前儒的周公攝政七年之說不確；其《尚書顧命禮徵》、《尚書顧命後考》，利用金文，詳密考證〈顧命〉之禮是周天子登假、嗣王繼體的文質並重的大典，糾正了鄭注孔疏的一些誤解。他與弟子楊筠如合著的《尚書覈詁》，也廣泛地利用了金文和甲骨文。章太炎（炳麟）著《太史公古文尚書說》、《古文尚書拾遺》⑬等，以其新獲魏三體石經（殘碑）眞迹和《史記》爲據，考證古文《尚書》的文字章句。劉師培著《尚書源流考》⑭，考訂《尚書》眞僞源流，精審得當，是對明清以來《尚書》版本辨僞之學的發展。他們的弟子吳承仕、于省吾等是這一學派的第二代傳人。于省吾著《雙劍誃尚書新證》，以古籀文字研究來考訂《尚書》，他廣泛吸取現代在語言文字學研究方面的新成果，徵引古籀，又以金文爲主，兼及甲骨文、銘印、帛布、石刻等文字資料，並舉同時代之語例爲佐證，來校對今本《尚書》，把《尚書》的考據校勘之學提高到一個新的科學水平。

第二個學派是以顧頡剛爲代表的古史辨學派，或稱新史學派。這個學派經過「五四」科學與民主精神的洗禮，他們要「從聖道王功的空氣中奪出眞正的古文獻」，以民主精神對儒家所建立的「二帝三王二聖」的所謂「帝統」、「道統」發起有力的衝擊。他們上承清代考據學和語言文字學的成果，又吸取西方語言學、民俗學的方法，進行大量的研究和考辨，力求還《尚書》以本來面目並且應用於古史研究，作出有益的貢獻。三十年代，顧頡剛編撰《書序辨》⑮，意在明辨孔子、《尚書》和《書序》的關係。《古史辨》一、二册輯有多人關於《尚書》的討論，後來又輯有顧頡剛及其學友和師生研究《尚書》的論文集《尚書研究講義》。這個學派至今在國內外仍有影響。

第三個學派是以郭沫若、范文瀾爲代表的馬克思主義史學派。三十年代起，接受了馬克思主義的基本原理的史學家們，提出運用歷史唯物論來研究包括《尚書》在內的古文獻。他們開始用馬克思主義的立場、觀點和方法來研究古代歷史。在那場關於中國社會性質的大討論中，關於中國是否存在奴隸制階段的問題，《尚書》被作爲奴隸社會的文獻進行了研究。郭沫若所作〈詩書時代的社會變革及其思想上之反映〉長文，就是在這一歷史背景條件下寫作的。

這類論著，以唯物史觀的基本原理爲指導思想，又注意利用甲骨文、金文、地下發掘材料和各種歷史文獻，力求把文字、內容的詮釋和理論分析建立在科學基礎上。雖然許多論斷需要再作研究，但他們爲近幾十年中國大陸的研究作了開端。

注釋

①《史記．秦始皇本紀》

②這裡採用馬雍《尚書史話》的說法，中華書局一九八二年本，十一頁。

③劉歆《七略》已失傳，但《漢書．藝文志》係錄自《七略》，見《漢書．藝文志》。

④李民《尚書與古史研究》把時間限定於春秋時期，上下限更短。河南人民出版社，一九八一年版。

⑤見王世舜《尚書譯注》引述高魯《星象統箋》，胡厚宣《甲骨文四方風名考證》。

⑥朱自清〈詩言志辨序〉，《朱自清古典文學論文集》一八七頁，上海古籍出版社，一九八三年新版。

⑦據顏師古《匡謬正俗》。

⑧〈盤庚〉中的「民」、「畜民」不是指奴隸，這和金文中「民」字的意義不同。李民〈盤庚所反映的商代貴族與平民的鬥爭〉一文所言是。

⑨文王的都城在豐，稱舊都；武王的都城在鎬，稱新都。洛邑於成王七年二月命召公相土，三月周公

去巡察基地，就留在洛邑監督營建。洛邑營建完成得若干年，後稱東都。整個西周，都城在鎬。有的注釋以爲周公要求成王到洛都來祭廟登基，誤。

⑩《四庫全書總目提要》：「《書》類五十六部，六百五十一卷；附錄二部，十一卷；《書》類存目七十八部，四百三十卷（內十部無卷數），附錄一部，四卷。」

⑪《書經稗疏》主要是通過考據駁正蘇軾《東坡書傳》、蔡沈《書集傳》釋文之誤，收入《船山遺書》。《尚書引義》類似哲學、政治思想短論集，共五十篇，收入《船山遺書》，有中華書局一九七六年排印本。

⑫王國維《洛誥箋》、《尚書顧命禮徵》、《尚書顧命後考》均見《觀堂集林》。

⑬章炳麟《太史公古文尚書說》、《古文尚書拾遺》，收《章氏叢書》，民國二十二年刊本。

⑭劉師培《尚書源流考》，收《劉申叔遺書》，民國二十三年刊本。

⑮《書序辨》收《古史考辨叢刊》第一集，中華書局一九五五年本。

推薦閱讀書目

・《尚書正義》 唐・孔穎達疏，《十三經注疏》通行本。

‧《書經集傳》宋‧蔡沈注，《四書五經》通行本。
‧《尚書今古文注疏》清‧孫星衍撰，《清經解》本。
‧《尚書古文疏證》清‧閻若璩撰，《清經解續編》本。
‧《尚書校勘記》清‧阮元撰，《清經解》本。
‧《觀堂集林》有關文獻　王國維撰。見《海寧王靜安先生遺書》，商務一九四〇年版。
‧《古史辨》第一、二冊有關文獻　顧頡剛等撰，上海古籍出版社新版本。
‧《詩書時代的社會變革及其思想上之反映》郭沫若撰，《全集‧歷史編》第一卷。
‧《尚書與古史研究》李民撰，河南人民出版社，一九八一年版。
‧《尚書集釋》屈萬里撰，聯經出版公司，一九八三年二月。
‧《尚書今注今譯》屈萬里撰，台灣商務印書館，一九六九年九月。
‧《尚書讀本》吳璵撰，三民書局一九七七年十一月。
‧《尚書史話》馬雍撰，中華書局一九八二年版。

第4章 《詩經》

《詩經》，簡稱《詩》，有三百〇五篇，舉其整數，又稱「詩三百」，或「三百篇」。《詩經》是我國第一部詩歌總集，它是中國文學的現實主義的源頭。在封建社會，它又是儒家重要的經典，自從列爲五經之一，便成爲必讀的教科書，文化教育的重要內容。

第一節　詩三百篇產生的時代和地域

我們現在已無法考證三百篇各篇的創作年代，只能大致論定其中最早的創作於西周初期，最晚的創作於東周的春秋中葉，全部作品產生於西元前十一世紀～前五世紀之間的五百多年的時間中。

這三百〇五篇詩分風、雅、頌三類。

風：一百六十篇，包括《周南》、《召南》、《邶》、《鄘》、《衞》、《王》、《鄭》、《齊》、《魏》、《唐》、《秦》、《陳》、《檜》、《曹》、《豳》。又稱「十五國風」。

雅：一百〇五篇，其中，《小雅》七十四篇，《大雅》三十一篇，又稱「二雅」。

頌：四十篇，其中，《周頌》三十一篇，《魯頌》四篇，《商頌》五篇，合稱「三頌」。

❖三《頌》的時代

《周頌》是西周王室的祭祀樂歌，主要產生在西周前期社會興盛時期。上古時代重視祭祀，西周前期政治安定，經濟興旺，爲鞏固和發展這種興盛局面，大興禮樂，爲此製作了一些祭祀的樂歌。在整個「成康盛世」，這些樂歌已積累不少，昭王時又繼續補充修訂。從這些詩所祭祀的對象和所反映的史實來看，可以相信《周頌》大部分製作在西元前一〇五八年以後的七八十年之間。①

據說，《周頌》中最早的詩，是武王伐紂勝利回朝祭祀文王時製作的《大武舞歌》六篇，在今本《詩經》中，比較可信的尚保存其中的〈武〉、〈賚〉、〈懷〉三篇②。最晚的詩是昭王初年祭祀武、成、康三王的〈執競〉。這些都無法確考，我們只能大致推斷它們產生在西周前期不到一個世紀之間。它們的製作，大約出自史官和太師（樂官）的手筆。製作地點當然是在鎬京。

《魯頌》比《周頌》晚九個世紀，是春秋時期魯國的宗廟祭祀樂歌。魯是周公的後裔封地，在今山東一帶。關於《魯頌》的來源，朱熹《詩集傳》說：「成王以周公有大勛勞於天下，故賜伯禽以天子之禮樂，魯於是乎有頌，以為廟樂。其後又自作詩以美其君，亦謂之頌。」魏源《詩古微》卷六《魯頌詩發微》：「僖四年，經書：公會齊侯、宋公等侵蔡，蔡潰；遂伐楚，至於召陵。此中原攘楚第一舉，故魯僖、宋襄，舊侈闕績，各作頌詩，薦之祭廟。」齊桓公率八國之師伐楚時，是魯僖公四年即西元前六五六年，所以現存《魯頌》四篇是魯僖公時製作，其中〈閟宮〉一篇作者署名奚斯，是魯大夫公子。

《商頌》是宋國的宗廟祭祀樂歌。宋國（都河南商丘）是殷商的後裔，武王滅商，封微子啓於宋，修其禮樂奉祀商的先王。現存《商頌》五篇的內容，有的是記述殷商先祖功業，可能是先世留傳或後世追述，有的或是歌頌宋襄公伐楚之事。五篇《商頌》產生的時間先後距離很長，學術界尚無定論。

❖二《雅》的時代

《大雅》全部是西周的作品，它們主要是朝會樂歌。其中一部分頌詩的內容，與祭祀詩沒有多大區別。因爲它們應用於諸侯朝聘、貴族享宴等朝會典禮，比較只應用於宗廟的樂歌，內容較爲擴充。這些詩大半產生於西周前半期和宣王中興時期，有的出自史官、太師的手筆，有的有作者署名，可以證明是公卿列士的獻詩。

西周盛世並不長，七八十年就衰落了。穆、夷以後，政治腐敗，社會危機，貪殘昏暗的厲王更弄得民怨沸騰，在民不堪命的暴動中被放逐。宣王號稱「中興」，實行開明政治，容許對王政得失提出批評。可是外患嚴重，戰爭頻繁，剝削加重，又加深社會危機。幽王又是一個暴虐的昏君，西周終於滅亡。《大雅》中的一部分諷諫詩，就產生在厲、幽兩代，是《大雅》中的重要篇章。

《小雅》七十四篇，基本上是西周後期的作品。其中也有一部分是朝會和貴族享宴的樂歌，內容與《大雅》沒有多大區別，主要製作於宣王時代。宣王「中興」圖治，修禮興禮，公卿列士就製作一些詩歌，或緬懷先王，或記述宣王文治武功，應用範圍又由朝會擴延到貴族社會的各種典禮和宴會，所以也有反映貴族社會生活和習俗的詩歌。

西周後期一部分士大夫寫了一些諷諫詩；而沒落的貴族階級下層，則寫了許多不滿現實、感嘆身世、發抒悲怨的怨刺詩。這些諷諫怨刺之作，占了《小雅》的大部分。它們基本上都製作在京城，除極少數篇章署作者名字外，大多都沒有署名。

❖《國風》的時代和地域

《國風》主要是東周時期收集的十五個國家和地區的民間詩歌。共一百六十篇，其篇幅數量占《詩經》全部作品的大半。

西周末年，國內危機嚴重，戎族入侵，幽王被殺。西元前七七〇年平王東遷洛邑，建立東周王朝。東周王室衰微，諸侯爭霸，社會處於更大的動蕩和變革之中。歷史上把西元前七七〇年~前四七六年劃爲春秋時代，《國風》的絕大部分是春秋初期至中期的詩，一小部分是西周後期的詩；《豳風》中也有從西周初期流傳下來的少數作品。

十五《國風》各以其所在國家或地區得名，總起來看，在現在的陝西、山西、河南、河北、山東和湖北北部，大體包括當時中國的全部地域，主要在黃河流域，向南擴展到江漢流域。這遼闊的區域，是我國古代文化的搖籃。

《周南》、《召南》的地域舊說分歧，當代已取得基本一致的正確意見。周南、召南原來就是地域名稱，由古南國得名。周南在今陝縣以南，汝、漢、長江一帶，湖北、河南之間。召南在周南之西，包括陝西南部和湖北一部分。《周南》、《召南》大部分是春秋時代的作品，最晚不遲於周釐王之世（西元前六八一～前六七七年），《左傳·僖公二十八年》記：「漢陽諸姬，楚盡實之。」經過楚的侵伐，江、漢、汝一帶姬姓小國全部滅亡。所以二南詩的採編當在這些小國滅亡之前的春秋初期。二南中可能也有從西周流傳下來的民歌，這已無法確定。我們就其總體而言，二南大部份作品的時代在西周末年到春秋初期這一段時間。

其他十三國風，邶、鄘、衞三國在今河南北部和河北南部至中部，後併爲衞國；王，是東周都城洛邑近畿一帶；鄭國，在今河南鄭州一帶；齊國，在今山東臨淄一帶；魏國，在今山西南部；唐國，在今山西中部；秦國，在今陝西西部和甘肅南部；陳國，在今河南陳州一帶；檜國，在今河南密縣一帶；曹國，在今山東曹州一帶；豳國，在今陝西邠縣、旬邑一帶，是西周的故國。因爲是西周的故國，《豳風》中可能有從很早流傳下來的民間詩歌。

綜上所述，《周頌》、二《雅》產生地域在周都；《魯頌》在魯國；《商頌》在宋國；《國風》產生在十五個國家和地區，各從其名稱明確地反映出來。

《詩經》總的時代是西元前十一世紀至前六世紀，其中，《周頌》最早，大多產生於西周前期，是廟堂祭祀樂歌。《大雅》次之，大多是西周中期的作品，一部分是西周後期的作品。

《小雅》又次之，大多是西周後期的作品，少部分遲至東遷。二《雅》是朝會和貴族享宴樂歌。《魯頌》、《商頌》、《國風》產生較晚，大多在春秋前半期，《魯頌》是魯國廟堂祭祀樂歌，《商頌》是宋國廟堂祭祀樂歌；《國風》一部分是民間詩歌，也有一部分是貴族的作品，在民間流傳的民歌中，是否有從很早的時代流傳下來的作品，文獻不足，那就很難考定了。以上是就總體而言，《周頌》與《大雅》產生的時代以及《小雅》與《國風》產生的時代不能截然分開，我們也無法考證三百篇各篇產生的具體年代，只是就各類詩的內容和特點，大體上看出它們產生的歷史階段。

第二節　三百篇的採集、應用和編訂

先後產生於五、六百年之中，流布於廣大的地域，出自不同的社會階層，這三百〇五篇詩歌是怎樣編成一個總集並且流傳下來的呢？這一直是《詩經》學的一個重要問題。

❖採詩和陳詩

據說周代還保存著由上古時代傳下來的一種制度；王朝派專門官員到各地去採集民間歌

謠。採詩的目的是爲了知民情，觀風俗。

採詩之制，先秦書中沒有明確的記載，漢代有王官採詩和各國獻詩兩說。《漢書・食貨志》：「孟春之月，羣居者將散，行人振木鐸循於路以採詩，獻於太師，比其音律以聞於天子。」〈藝文志〉也說：「古有採詩之官，王者所以觀風俗，知得失，自考正也。」這說的是王官採詩。何休注《公羊傳・宣公十五年》：「男女有所怨恨，相從而歌，飢者歌其食，勞者歌其事。男子六十，女子五十無子者，官衣食之，使之民間求詩。鄉移於邑，邑移於國，國以聞於天子。故王者不出牖戶，盡知天下所苦。」這是說各國自採獻於天子。近世學者又提出太師（樂官）搜集整理說。他們據《國語・魯語》：「正考父校商之名頌十二篇於周太師。」又據《禮記・王制》：「天子五年一巡守。歲二月東巡守……命太師陳風以觀風俗。」

因爲史無明據，古無定制，我們很難拘泥於一說，可以認爲：王官採詩也有，各國獻詩也有，太師搜集整理也有。《頌》本來由太師制樂，《國風》的採集可以經過各種渠道。採集民間歌謠的目的是明確的，可以了解民情，作爲施政的參考。

二《雅》是貴族的作品，有一些是歌功頌德，宴享酬應的，但還有一些是抨擊時政，揭露社會弊病，以及傾訴個人怨恨和不平的，這些詩篇爲什麼能夠入編呢？

據說周代有過公卿列士可以陳詩進諫的制度。《左傳・襄公四年》：「昔周辛甲之爲大史也，命百官，官箴王闕。」《左傳・昭公十二年》：「昔穆王欲肆其心，周行天下，將皆必有車轍馬迹焉。祭公謀父作〈祈招〉之詩，以止王心，王是以獲，沒於祇宮……」。《大雅》中的〈民勞〉、〈板〉以及《小雅・節南山》也都說明西周確有公卿列士向國王陳詩進諫的事實。《國語・周語上》記述召公諫弭謗，說明應該容許某些批評，從批評中吸取意見來鞏固統治。宣王「中興」圖治，接受正反兩方面經驗教訓，恢復進諫制度。二《雅》中大量針砭時政、言詞激切無忌的諷刺詩於是產生。所以，二《雅》諷喻詩的產生是爲了通過諷諫來達到改良政治的目的。

❖朝會宴享和賦詩言志

三百篇或由王廷樂官製作，或由公卿列士獻詩，或由十五個國家和地區採集，集中到樂官整理加工合樂，書寫於簡片，習演於樂工，並且長時期保存和流傳，自然有其實用的目的。據先秦典籍所記，它們確有廣泛的應用範圍。

一是應用於各種典禮儀式，諸如祭祀（宗廟、郊天）、朝會（諸侯覲見、使聘、享宴、出征、凱旋等），都有繁富的禮儀，要按規定演奏一些相應的樂歌。例如，《周頌・有瞽》、《商頌・那》、《小雅・楚茨》描寫了祭祀典禮奏樂的狀況；《大雅・崧高》、《小雅・出車》是朝會的慶功樂歌。

二是貴族宴會的應用。貴族每逢慶賀、婚嫁、迎賓等等活動，也有繁富的禮節。《儀禮．鄉飲酒禮》記載了貴族宴會演奏樂歌的程序。《小雅．鹿鳴》、《小雅．白駒》都是宴賓的樂歌。《周南．關雎》、《周南．桃夭》都是婚嫁樂歌。據《儀禮．鄉飲酒禮》所記，除在典禮上演奏「正樂」，還有「無算樂」助酒盡歡。這是說，除了演奏莊嚴鄭重的樂歌，還演奏一些比較輕鬆和諧，帶有娛樂性的樂歌。《國風》中的一些作品是這樣得以保存和流傳的。

在春秋時代，王室、諸侯、大小貴族都有大小不等的樂隊，流傳著大致相同的演奏樂歌，肯定已經有了一個大致相同的本子流傳。《左傳．襄公二十九年》記吳公子季札聘魯，魯國為他演奏周樂，演奏的內容和順序，大體和現在流傳的《詩經》相同，可以證明當時已經有了一個內容和編次與現在流傳的《詩經》差不多的結集，並且已經成為貴族文化生活的一部分。

三是賦詩言志，在當時非常普遍。在春秋時期，三百篇已經相當普遍的流傳，其應用範圍超越了它們最初製作或採集的目的，列國人士把這些詩的言辭進一步應用於社會政治生活，作為社會交往中表情達意的工具。

《左傳》和《國語》記載了大量賦詩言志的事實。據統計，《國語》引詩三十一條，其中三百篇中的詩三十條；《左傳》引詩二百二十七條，其中記列國公卿引詩一百〇一條（內逸詩五條），左丘明自引詩及轉述孔子之言所引詩四十八條（內逸詩三條）③。所謂賦詩言志，並不是自己創作詩篇誦唱，而是點出現成的詩篇由樂工演唱，借以表明自己的情意。如《左傳・襄公二十六年》記晋侯囚衞侯，齊侯鄭伯往晋排解。在宴會上，晋侯先賦《大雅・嘉樂》作歡迎曲，表示對兩國君的歡迎和贊頌；齊國國景子答賦《小雅・蓼蕭》贊頌晋侯恩澤遍及於諸侯；鄭國子展答賦《鄭風・緇衣》表示鄭不背晋。接著商談救衞侯問題，國景子賦〈轡之柔矣〉（逸詩），以馭馬要用柔轡爲喻勸晋侯對小國寬大；子展賦《鄭風・將仲子》取詩中「人之多言，亦所畏也」一句，暗喻要考慮各種輿論。於是，晋侯放回衞侯。再如《左傳・定公四年》記楚遭吳侵略，楚大夫申包胥向秦國求援兵，申包胥絕食痛哭七日，感動了「秦哀公爲之賦〈無衣〉……秦師乃出。」列國間辦外交，往往通過賦詩言志，用比喻或暗示的方法表達彼此的立場和意見。賦詩成爲外交官員必須具備的一種才能，出使辦理外交事務，必須選擇能掌握詩辭文采的人才，這樣，三百篇成爲政治外交活動中一種普遍應用的特殊工具。同時，公卿士大夫在談話中也常常隨口引用詩句，借以加强語言的表達力。

由於典禮、宴享、政治交往、美化語言等等方面的廣泛應用，三百篇成爲貴族學習的教材。據考證，在孔子創辦私學之前約二百年，貴族的公學裡在向貴族子弟傳授的學科中已經有這些詩和樂，而且是必修科目。

❖孔子删《詩》說

關於孔子如何整理《詩》，孔子自己只有非常簡略的敍述：「吾自衞返魯，然後樂正，《雅》、《頌》各得其所。」（《論語．子罕》）這是說他在六十九歲回魯國後，對《詩》進行了一番編訂和正樂的工作。此外，先秦古籍中沒有其他可靠的材料。

司馬遷作《史記．孔子世家》，才有比較具體的敍述：「古者詩三千餘篇，及至孔子，去其重，取可施於禮義，上採契、后稷，中述殷、周之盛，至幽、厲之缺，始於衽席……三百篇，孔子皆弦歌之，以求合韶、武、雅、頌之音。」這是說孔子從三千餘首古詩中删存了三百篇。這個說法和當時把五經當作聖經的理論相一致，漢人信而不疑。

唐．孔穎達爲《詩經》作疏，開始懷疑司馬遷的記述。宋代興起懷疑學風，對孔子删《詩》說提出否定。從此展開删《詩》說與非删《詩》說的長期論戰，持續八百多年。各個時代有重大影響的學者都捲進戰團，聚訟紛紜。

從「五四」以後直至當代，這個問題依然是學術界探討的一個題目。現在多數學者漸趨一致地認爲：《詩經》是經過一次總的編訂加工的，不過，說「孔子從三千篇詩中删成三百〇五篇去其十分之九，這一說法不可靠，春秋時應用的詩不過三百多篇」，但孔子確實整理過《詩經》，「保持其原來的文辭，刪去蕪雜的篇章」，一些「有重大意義的最古詩篇，因孔子選詩而得以保存」，對於他所整理的詩篇，基本上保存了原來的內容和表達風格，也有篇章字句的去重和加工。

❖孔門詩教

孔子教學生學《詩》，有他的教學目的。他對《詩》的作用作了系統的理論表述，即《論語‧陽貨》所說：「小子何莫學夫《詩》？《詩》可以興，可以觀，可以羣，可以怨；邇之事父，遠之事君，多識於鳥獸草木之名。」《詩》可以興，是說它對人能起到思想啓發和感情感染的作用；可以觀，是說有認識作用，可以認識社會現實，觀見風俗民情，考察政治得失；可以羣，是指能夠互相溝通思想感情，可以在社會生活中賦《詩》言志；可以怨，是說能諷喻不良政治和批評某些社會現象，發揮諷諫和怨訴的功能。

「詩三百篇，一言以蔽之，曰：思無邪。」這是孔子對學《詩》目的的總括。「無邪，歸於正也。」《禮記‧經解》引「孔子曰：入其國，其敎可知也。其爲人也，溫柔敦厚，《詩》教也。」孔子說的「無邪」，就是「正」，就是「中和」，也就是「溫柔敦厚」，這是孔子詩教對人的政治、道德和思想修養的基本要求。在政治上，統治者治人而仁民，被統治者守制而不犯上，批評而不破壞，怨刺而不作亂，思想感情的表達要含蘊委婉，樂而不淫，哀而不傷，怨而不怒，犯而不校，調和兩端，不發展到對立面，這就是溫柔敦厚。

《論語》中有兩段孔子弟子問詩的記錄。一段是子貢問《衞風．淇奧》「如切如磋，如琢如磨」兩句，在原詩中這兩句本來是形容一個青年像切磋的象牙和琢磨的玉石，子貢用來解釋孔子關於人的道德修養的見解，孔子稱贊子貢能夠觸類旁通。另一段是子夏問《衞風．碩人》「巧笑倩兮，美目盼兮，素以爲絢兮。」（今本無第三句），在原詩中本來是形容一位美女的容貌，子夏引申到「禮」，離原意很遠，孔子卻大加稱贊。觸類旁通，會發展爲斷章取義；層層引申，會發展爲穿鑿附會。因爲儒家把《詩經》作爲封建道德的修身教科書，就不能不撇開詩篇原來的內容而任意發揮。孔子以後，孟子說《詩》、荀子說《詩》，都採取這樣斷章取義、穿鑿附會、任意發揮的方法。

孔門詩教統治《詩經》教學和研究兩千餘年，漢以後的經師繼承他們祖師爺說《詩》的方法，爲宣揚「聖道王化」和封建道德修養，對三百篇的內容進行無數扭曲和謬誤的解釋。這是我們必須注意的。

第三節　六義

風、雅、頌、賦、比、興是《詩》之六義。風、雅、頌是詩體，賦、比、興是詩法。要明白風、雅、頌的體制；就要明白詩的入樂問題，以及所謂「變風變雅」和所謂「四始」、「笙詩」；明白賦、比、興，就是了解它的表現方法。

❖風、雅、頌

《風》、《雅》、《頌》是《詩經》的三類詩體，它們是按照樂調分類編排的。對三者名稱的解釋及其分類，也是兩千年來長期聚訟的問題。經過長期研討，現在已取得基本一致的認識。

「風」名的本義，就是樂調。所謂「國風」，就是土樂；十五「國風」，就是十五個國家和地區的地方樂調。這個認識，《詩經》有內證，《大雅．嵩高》：「吉甫作誦，其詩孔碩，其風肆好」，可見風是樂調。《左傳．成公九年》記晉侯見楚囚鍾儀，「使與之琴，操南音……文子曰：楚囚，君子也。言稱先職，不背本也；樂操土風，不忘舊也。」可見土風指地方樂調。宋．朱熹也早有接近的認識，《詩集傳》：「國者，諸侯所封之域；而風者，民俗歌謠之詩也。」

「雅」名的本義，古時釋爲「正」，古時「雅」、「夏」二字通用，周王畿一帶原是夏人的舊地，周人有時也自稱夏人，其地稱爲夏地，王畿爲政治中心，其言稱爲正聲。孔子：「《詩》、《書》、執禮，皆雅言也。」（《論語．述而》）雅言就是標準話。宮廷和貴族用的樂歌要用這種正聲。當時的雅樂，就是這種正樂。「雅」是正樂，古說大體一致。再據現代考證，古時原來就有一種名叫「雅」的樂器，這種樂器碩大而笨重，爲正樂所用，雅樂由此而得名。「雅樂」原來只有一種，後來吸收土樂的影響，樂器也改進得較爲小巧而靈活，產生了新的雅樂，便叫舊的爲「大雅」，小的爲「小雅」。

「頌」字古訓「容」，也就是現在的「樣」字。它是有舞蹈配合的樂歌。「頌」、「庸」古寫通假。「庸」即「鏞」字，是一種大鐘。「頌」是舞、樂合一的樂歌，其聲調緩慢，其音莊重，餘音裊裊，至今宗教儀式還有類似樂器和樂曲。《頌》全是由大鐘伴奏、聲調緩慢、配合舞蹈的祭祀樂歌。這一點，前人解釋基本一致。

由以上敍述可知，三百篇全是樂歌，它的編排體制，是以「風」、「雅」、「頌」三類不同的樂調來分類的：十五《國風》是按十五個國家和地區的地方樂調分別編排的，大、小《雅》是按雅樂的新舊分別編排的。這種編排方法，最初有它的實用性和科學性。後來時代久遠，社會變遷，古樂全部失傳，只保存下三百〇五篇歌詞，人們對它的編排體制便不容易明白了。

❖笙詩、四始和風雅正變說

《詩經》共三百十一篇，其中《小雅》部分，有六篇有目無詞，所以實際上只有三百〇五篇。這六篇篇目是，〈南陔〉、〈白華〉、〈華黍〉、〈由庚〉、〈崇丘〉、〈由儀〉；它們被稱爲「笙詩」。笙詩是用笙這種樂器吹奏的樂曲。

關於笙詩，過去有兩種不同的解釋。漢學說「有義亡辭」，宋學說「有聲無辭」。「有義亡辭」，是說原來有詞，後來詞失傳了。「有聲無辭」，是說本來就沒有詞，只是貴族宴會典禮中演唱樂歌時插入的清樂。二說一直難統一，後來相信宋學論點的人較多。但二說也有一致的地方，即都承認笙詩原來有樂曲，後來樂曲失傳，就只剩下篇目。

《史記．孔子世家》提出「四始」。它說：「〈關雎〉之亂，以爲《風》始；〈鹿鳴〉爲《小雅》始；〈文王〉爲《大雅》始；〈清廟〉爲《頌》始。」司馬遷在這裡只是舉出《詩經》四個部分各自的第一篇，作爲那一個部分的開始，並沒有深意。《毛詩序》認爲《風》詩是個人發於情而止於禮義，反映一國的政治和風俗；《雅》詩「言天下之事，形四方之風」，說的是王政興廢所由，反映國家的治亂興衰；《大雅》說朝政大事，《小雅》說朝政小事；《頌》詩「美盛德之形容，以成功告於神明」，是歌頌先王功德和祈禱神明的祭歌。他說《風》、《大雅》、《小雅》、《頌》這四類詩「是謂四始，詩之至也」，意思是這四類詩把詩的內容包括盡了，是後來各種詩歌的開始。

古人還曾提出「風雅正變」說，企圖否定三百篇全是樂歌。「變風變雅」一說，最初見於《毛詩序》：「至於王道衰，禮義廢，政教失，國異政，家殊俗，而變風變雅作矣。」這段話裡談的變風變雅，認識到了時代政治的改變而影響詩歌內容的改變，反映了政治興衰與詩歌內容美刺的關係，有其合理的因素。鄭玄著《詩譜》加以發揮，成了「風雅正變」說，他把歌頌周先王和西周盛世的詩稱爲「《詩》之正經」，而把那些衆多的產生於衰亂之世的諷刺詩和愛情詩稱爲「變風」、「變雅」，「變」是不正的意思，指這些詩不是《詩》的正統。顧炎武附會「風雅正變」說來解釋詩樂問題，說《頌》及正風正雅入樂，而變風變雅不入樂。按照這個說法，全部《詩經》只有一百篇詩入樂，其餘二〇五篇是變風變雅，全不入樂。這是不符合事實的。這個說法立論無據，矛盾百出。《詩經》全是樂歌，已是不可移易的定論。

❖賦、比、興

唐．孔穎達《毛詩正義．詩大序疏》說：「風、雅、頌者，詩篇之異體；賦、比、興者，詩篇之異辭耳。大小不同，而得並爲六義者，賦、比、興是詩之所用；風、雅、頌是詩之成形。……是故同稱六義。」他是把賦、比、興作爲詩的表現方法的。南宋的朱熹也談到這個問題，他在《周禮注疏》說：「賦者，直抒其情；比者，借物言志；興者，托物興辭也。」後來，《詩經》學者大多採用這個說法，把賦、比、興看作詩的三種基本的表現方法。賦，是鋪陳直敍，即直接敍述事物、鋪陳情節，抒發感情。比，是比喻和比擬，也就是利用兩種事物之間的某種相似點來打比方，或用淺顯常見的事物來說明抽象的道理和情感，使人易於理解；或借以描繪和渲染事物的特徵，使事物生動、具體、形象地表現出來，給人鮮明深刻的印象。興，是先言他物以引起所詠之辭，即托物起興，先描繪某種事物的形象，用以引起所要詠唱的內容。

也有人根據漢代的材料，說「六義」就是六體，賦、比、興也是當初賦詩言志的三體。如唐代的賈公彥、近代的章太炎和今人郭紹虞等，都作過這樣的考辨和論述。④考之當初，賦、比、興可能有這樣的初意。不過，漢人對這個問題沒有深入研究，自唐以來，就一直把它們當表現方法來立意的，已經通行了一千多年，在文學理論研究領域應用廣泛，並起了很大作用，原始意義也只供參考了。

第四節　三家《詩》、《毛詩》和《毛詩序》

秦代實行專制政策，《詩》與其他一些先秦典籍，瀕臨幾乎毀滅的浩劫。三百篇是合樂的歌詞，那時古樂曲還沒有完全失傳，韻文又便於詠誦和記憶，所以，《漢書．藝文志》說，《詩經》「遭秦而全者，以其諷誦不獨在竹帛之故也。」所以它得以比較完整地保存和流傳。

漢初開書禁，准許私人傳授古學，後來又設立五經博士，把五經立爲官學。當時整理的寫本，爲了講述便利，都用當時通行的文字——隸書書寫，爲今文經。今文《詩經》由於傳授者和搜集的地區與時間不同，由於過去口耳相傳記憶不準或口音不清，有多家傳本，流傳的主要有《魯詩》、《齊詩》、《韓詩》三家，稱「今文三家」，簡稱「三家詩」。西漢中期以後，又陸續發現了一部分用戰國時代篆書書寫的經籍，爲古文經。古文《詩經》，只有《毛詩》一家。「三家詩」和《毛詩》不只是書寫文字的不同，文句、訓詁和內容解釋也有很大不同。漢代傳經重視師法，形成齊、魯、韓、毛四家並傳，分爲今文三家和古文《毛詩》兩相對立的學派。

❖三家《詩》

《魯詩》是西漢初年出現最早的《詩經》，由最初流傳於魯國而得名。《魯詩》最早的傳授大師是申培。據稱孔子傳《詩》於子夏，五傳於荀子，荀子傳於浮丘伯，浮丘伯傳於魯人申培。這自然無從稽考，《魯詩》以此自稱其源流傳自孔子及子夏（卜商）。《史記．申公傳》：「申公獨以《詩經》爲訓以教，無傳，疑者則闕而不傳。」《漢書．藝文志》：「魯申公爲《詩訓故》。」可見申培在漢初給《詩經》作了訓詁。《漢書．藝文志．文藝略》記有《魯故》二十五卷、《魯說》二十八卷。前者當是申培所著《詩訓故》，後者當爲其弟子韋、張、唐、褚諸氏的補充。西漢諸家《詩》中以《魯詩》影響最大，因申培曾任楚元王太子的師傅，武帝時又被朝廷立爲博士，其弟子和再傳弟子多人擔任朝廷及地方要職，幾代皇帝也學《魯詩》，所以《魯詩》盛行。《魯詩》著作在西晋失傳，僅有石經殘碑一塊留於世，不足二百字。

清．陳喬樅《魯詩遺說考序》說：從《史記》、《漢書》、《後漢書》以及漢代諸家著述的稱引，還能夠看到《魯詩》的一鱗半爪。荀子的《詩》說是《魯詩》訓釋所本，孔安國受《詩》於申培，而司馬遷受業於孔安國，所以《史記》引述的是《魯詩》，劉向、劉歆世習《魯詩》，所著《說苑》、《新序》、《列女傳》以及班固執筆的《白虎通》，說《詩》都是《魯詩》；《爾雅》也是《魯詩》之學⑤。《漢書．藝文志》曾作過如下評論：「三家詩咸取《春秋》，採雜衆說，咸非其本義，與不得已，魯最爲近之。」三家詩都是採用《春秋》和雜說來附會詩義的，都不能解說詩的本義，而三家比較而言，《魯詩》還是多少接近詩義的。

《齊詩》由齊人轅固所傳，以傳者地區得名。轅固在景帝時立爲博士。據《漢書．儒林傳》記述，他曾與道家辯論湯武革命問題，當著皇帝說湯武誅桀紂而得天下，是得民心的正義行動；後來又與奉黃老之學的竇太后當面辯論，幾乎喪命。這些事實，可以說明他是堅持儒家學說的。荀悅的《漢紀》說他著有《詩內外傳》。其弟子有翼、匡、諸、伏諸氏之學，這些弟子把《齊詩》進一步與陰陽五行之說相結合，與盛於西漢後期，學《齊詩》的人大多顯貴，在東漢前期更盛行一時。《漢書．藝文志》載《齊詩》主要著述目錄，有《齊後氏故》二十卷、《齊後氏傳》三十九卷、《齊孫氏故》二十七卷、《齊孫氏傳》二十八卷、《齊雜記》十八卷。所有這些著作，都在東漢末年失傳。據陳喬樅《齊詩遺說考序》說，董仲舒學《齊詩》，他的《春秋繁露》等著述及荀悅《漢紀》、焦氏《易林》、桓寬《鹽鐵論》所稱引的《詩》說，當是《齊詩》。

《齊詩》分化的派別很多，其中最突出的是翼奉一派。他們把對《詩經》的解釋陰陽五行化，並進而和讖緯神學相結合，發揮所謂「四始、五際、六情」之說。《齊詩》的「四始」說附會五行中的水、火、金、木四行，毫無實際意義。《齊詩》的所謂「五際」，是以卯、酉、午、戌、亥，附會《易》卦的陰陽際會；所謂「六情」，指喜、怒、哀、樂、好、惡，五行運用，陰陽際會而產生六情之變。《齊詩》把三百篇一一附會上「四始、五際、六情」，簡直把《詩經》變成推算陰陽災異的「推背圖」或占卦書，很少學術價值。它內容的迷信成份日益妄誕駁雜，章句日益繁瑣難學，使它失去上層建築的作用，在三家詩中衰亡最早。

《韓詩》由傳授者燕人韓嬰得名，主要流傳在燕、趙兩個地區，韓嬰在文帝時立為博士。《韓詩》也稱傳自子夏、荀子，而無具體記載。《漢書．藝文志》說它「推詩人之意，而為內外傳數萬言，其語頗與齊、魯間殊，其歸一也。」這是說《韓詩》與《齊詩》、《魯詩》大同小異。其主要著述目錄，有韓嬰《內傳》四卷，《外傳》六卷共數萬言，其後學所著有《韓故》三十六卷、《韓說》四十卷。《韓詩》亡佚較晚，隋、唐還有人著述《韓詩》章句，到北宋時均失傳。現在留存的《韓詩外傳》，已經不是韓嬰的原著，是隋、唐學者補充修改過的。

《韓詩外傳》不是對《詩經》的解釋和論述，而是先講一個故事，發一通議論，然後引《詩》為證。它和荀子「引《詩》為證」的方法有繼承關係，與漢代盛傳的《說苑》、《新序》、《列女傳》都相類似。

關於三家詩的異同、優劣比較，後代學者進行過不少煩瑣的考證。其實，它們大同小異。所謂大同，是說它們都是從《春秋》和雜說裡採取一些材料，用穿鑿附會的方法，把一些詩說得有政治意義或倫理意義，實際上大都脫離詩的本義；所謂小異，是說它們各立門戶，自我標榜，互相競爭，都想突出自己一家，所以他們說《詩》又有所不同。他們的著述現在只搜輯到一些鱗爪，一定要比較他們的高低，是沒有多大意義的。

❖《毛詩》

《毛詩》由毛亨、毛萇所傳，稱大毛公、小毛公。傳說荀子《詩》學傳自子夏，毛亨承自荀子，他在西漢初年開門授徒，著《詩故訓傳》（後簡稱《毛傳》），傳於趙人毛萇。河間獻王任毛萇爲博士，獻《毛詩》於朝廷，但不被立爲官學，長期在民間傳授。東漢後期《毛詩》立爲官學，取代了三家詩的地位。以後，三家詩衰亡，《毛詩》興盛於世。我們現在讀的《詩經》，就是《毛詩》。

《毛詩》所以勝過三家，有以下四個優點：

一、在幾百年的流傳過程中，許多《毛詩》學者對《毛詩》的訓詁和序說，不斷地充實和提高。我們現在看到的《毛傳》，訓詁簡明，雖然它的內容還有許多闕疑和不妥的地方，後來的學者又進行不斷加工、補充和完善，尤其是吸收了東漢時期文字學和歷史學等學術研究成果，把文字和名物的訓詁建立在比較切實的基礎上。《毛詩》的訓詁，我們現在來看，當然是不完善的，但在當時的學術水平上，比派別多、經說煩瑣雜亂的三家詩，要完善得多。

二、《毛詩》學者一直堅守孔子「不語怪力亂神」的著述原則和「溫柔敦厚」的詩教理論，排斥極端落後的讖緯神學，很少妄誕迷信的內容，著重發揮儒家「聖道王化」的政治理想。當陰陽災異和讖緯迷信對人民失去欺騙作用時，封建統治階級自然要轉而利用《毛詩》的政治教化和道德教育的內容。

三、《毛詩》在長期流傳過程中，每一篇詩都有簡明的序，說明該詩的題旨。這些序經過許多人增補加工，按照周代歷史發展，把三百篇解釋成是依照國王或諸侯世次排列的，從而依時代順序來解釋詩義。當然，他們的解釋並不可靠，有許多附會和臆說，但比毫無系統、時代顛倒錯亂的三家詩說，要高明得多。

四、「毛公述《詩》，獨標興體。」（劉勰《文心雕龍．比興》）《毛傳》注重「興義」，標出一百十六例。它所解釋的「興」，都是譬喻，用以表現某些政治思想或倫理思想，從而把一些情詩戀歌和一般抒情詩解釋得具有封建政治教化的深意。《毛傳》大量運用這種說詩方法，形成一套「興義」理論，這與只用歷史故事雜說來牽強附會的三家詩說相比，也是高明得多。

《毛詩》在以上四個方面超過了三家詩，所以能夠獨傳於世。

❖《毛詩序》

東漢流傳的《毛傳》三〇五篇的題目下面，各有一段類似題解式的簡略文字，簡述詩的題旨，或時代背景與作者，稱作《詩序》。據說今文三家詩流傳中也有序。如《唐書．藝文志》載目：「《韓詩》卜商序、韓嬰注二十二卷」，《四庫全書總目》「詩序二卷」條下注：「觀蔡邕本治《魯詩》，而所依獨斷，載《周頌》三十一篇之序，皆只有首二句，與《毛詩》文有詳略，而大旨相同。」所以爲了把現在流傳下來的《詩序》說得更準確一些，又稱爲《毛詩序》。

關於《毛詩序》的作者、大小序、尊廢，以及對大序的分析和評價，千餘年來，一直是《詩經》學研究和爭論的重要問題，現分述於下。

先說作者問題

《毛詩序》的作者是誰？古今聚訟紛繁。對古人的說法，有人匯集有十三家之說⑥，有人匯集有十六家之說⑦，也有人引據各家總括爲八說⑧，提名的作者有孔子、子夏、詩人自作、毛亨、衞宏、國史，子夏、毛亨、衞宏合作、漢儒續作，以及村野妄人作等等。爲避免繁瑣，不再引錄。

關於《毛詩序》作者的爭論所以這樣雜亂，一個原因是原始材料缺少，而且不可靠，缺乏令人信服的根據；另一個原因是封建學者對《毛詩序》的態度，及其宗派門戶之見和捨本逐末的學風。《詩序》給各篇所作的題解，實際上大多是穿鑿附會的，很不可靠。有的學派爲了提高這些序說的權威地位，就假託這些序是孔子或其嫡傳弟子所作，掛上聖賢的招牌，博取人們的崇信。後來有的學派提出新的詩說，要指出《詩序》的謬妄，就要首先打碎它掛的聖賢招牌，如宋代鄭樵乾脆就說《詩序》是「村野妄人所作」。

現當代學者經過反覆的細緻研究，多數人已經基本上取得比較一致的看法，撇開自漢代以來關於《毛詩序》是「聖賢所傳」的各種僞託，解決了自唐代後期以來千餘年爭論難決的疑案。就《毛詩序》雜抄經傳、比附書史、繁簡不一、疊見重複、穿鑿附會，以及其中若干地方自相矛盾和內容悖謬，可以認定不是一時一人之作，而是在漢代《毛詩》流傳的幾百年過程中，既保存了一部分先秦舊說，又經過許多傳授者陸續增補完成的，其中有毛亨、毛萇、衞宏，還有其他人，對現在流傳下來的《毛詩序》的編纂，起了較大的作用。

其次，說大序，小序問題

《詩經》首篇〈關雎〉之前，有一段較長的序文，作〈關雎〉題解又概論全經；以下各篇之前，各有一小段題解式的序文。宋代人把概論全經的這一段長序文，稱爲「大序」，把各篇作題解的序文，稱爲「小序」。

《詩經》有三〇五篇，《毛詩》連六篇笙詩也作了〈小序〉，所以〈大序〉有一篇，〈小序〉有三一一篇，形成一篇總論，以下各篇有題解的完整體制。在中國文學史上，爲詩作序，起源於《毛詩序》。以後白居易的《新樂府序》，就採用《毛詩》大、小序的體制。

後來的學者，對大序和小序的分別，又提出許多不同的說法。關於〈關雎〉的一篇長序文，有大序，也有小序，應該從哪一句斷限，一般都認爲其首尾幾句屬於〈關雎〉的題解，是小序，其餘的是大序。具體到從哪一句開始到哪一句爲止是大序，還有各種細微的不同意見。也有些人把各篇序文的首一二句叫小序，或古序，或前序，把首句以下的話叫大序，或後序等等；這類說法把原來比較整齊的序文體制說得雜亂無統。其實，這些爭論沒有什麼意義，在細微末節上標奇立異，成篇累牘糾纏不休，是中世紀的煩瑣哲學。

再談《毛詩序》的尊廢問題

東漢以後《毛詩》興盛，漢學學者們都依照《詩序》解說詩義，宋學學者對《詩經》作進一步研究，發現《詩序》的許多穿鑿附會和謬妄，爲了用他們的觀點重新解釋詩義，掀起了廢序之風，提出「《詩序》壞詩」，「實不足信」⑨。當時攻擊《詩序》形成一股潮流，朱熹撰《詩集傳》，就廢去《詩序》不錄。

從宋代一直到清代，對《詩序》的尊廢問題進行長期論爭。他們的論戰是經學內部之爭。尊序派認爲《詩序》有風雅正變的世次體系，而且漢人說詩離古代不遠，其說定然合於詩的原義；這個理由是脆弱的。廢序派指出《詩序》說詩謬妄不合，可是他們說詩也離不開經學，用新的穿鑿附會來代替舊的穿鑿附會，用謬誤的東西來反對謬誤的東西，所以也不能取得勝利。

其實，對《詩序》也不能一概而論。〈小序〉關於各詩所解說的世次、故事、人物、題旨，絕大多數是比附史傳雜說，頗多謬誤，歪曲詩義。說詩者正是通過這些曲解，把《詩經》變成封建政治、倫理教科書。這些謬誤以及全部序說中的封建毒素，是我們應該排除的糟粕。但是，〈小序〉距離《詩經》時代較近，而且雜採經史，保留某些先秦舊說，間或對某些詩篇的世次、背景的提示或接近題旨，或有助於我們探求詩義，給我們啓發。所以小序仍然可以作爲研究資料保存下來，批判地吸收其中可以參考的東西。至於〈大序〉，則是我國漢代文論著作中一篇重要的文獻，具有保存和研究的價值。

這裡再談談對大序的分析和評價問題

〈大序〉以總結三百篇創作經驗爲中心，概括了先秦以來儒家對詩歌的重要認識，並在理論上有所發展。它的主要內容可分四個方面：

一、對詩歌基本特徵的認識。〈大序〉繼承了先秦的「詩言志」和詩、樂、舞三者密切結合的觀點，進一步指出這三者的核心在於言志抒情。〈大序〉把情志並舉，是對先秦詩論的重要補充，它並且進一步把二者結合起來，著眼於對情志進行封建道德的規範，建立統治階級的詩歌理論。

二、論述詩、樂與時代和政治的關係。提倡詩歌爲統治階級的政治服務，通過詩、樂的感化作用進行政治和道德教育，是〈大序〉的中心內容。它進一步闡明詩歌爲政治服務的兩種形式：「上以風化下」和「下以風刺上」。「上以風化下」，就是利用詩歌作爲實行教化的工具；「下以風刺上」，就是用詩歌對統治者進行諷諫，促進統治者改良政治或改正過失。

〈大序〉還提出，各個時代的政治情況，往往反映在詩歌裡，說明不同時代的詩歌有不同的內容，進一步提出「變風變雅」之說，反映了時代政治興衰與詩歌內容的密切關係。

三、總結三百篇的分類及其內容。〈大序〉採錄了前人的「六義」說，對風、雅、頌的分類及這三類詩的內容作出說明。它認爲《風》詩是「以一國之事繫一人之本」，通過個人抒情言志反映一國政教風俗；《雅》詩是「言天下之事，形四方之風」，說的是王政興廢所由，反映國家治亂興衰；《大雅》說朝政大事，《小雅》大多說個人在政治生活中的感受。《頌》詩是「美盛德之形容，以成功告於神明」，是歌頌先王功德和祈禱神明的樂舞祭歌。它還認爲，《風》、《大雅》、《小雅》、《頌》「是謂四始，詩之至也。」指出這四類詩把詩的內容包括盡了，它們是後來各種詩歌的開始。這樣的概括，基本上符合《詩經》的基本內容。

四、反映儒家詩論的保守性和局限性。全文的中心思想，是從政治上表達封建統治階級對詩歌的要求，它推崇對封建統治階級歌功頌德和美化封建統治的作品，評價爲「正始之道，王化之基」。爲了把三百篇變爲封建政治的教科書，它又按照封建政治的要求，對許多詩篇進行種種歪曲的解釋。對於《詩經》中「下以風刺上」的作品，它又強調「主文而譎諫，發乎情，止乎禮義」。

詩歌爲統治階級政治服務，是全部《毛詩序》的基本思想，它的詩說（小序）和論述（大序），存在著明顯的謬誤和不足。但是，它把先秦到漢代對《詩經》的解說作了一次集錄，保存下來一部分研究資料；尤其是〈大序〉，概括和發展了儒家的詩論，也對《詩經》研究的基本理論初步地作了簡明的總結，作爲文論史上的一篇文獻，有我們可以借鑒的地方。

第五節 《頌》：西周的頌歌

《詩經》中《頌》詩四十篇，其中除《魯頌》四篇、《商頌》五篇，其餘三十一篇全是《周頌》，占《頌》詩的四分之三强。它們全是宗廟祭祀樂歌，大多製作在西周前期武王到成、康之世約一百年中。

《周頌》絕大多數是祭祀先王和山川神明的頌歌，也有一部分祈禱豐收的農事詩。它對農業生產的記述，以及對一些史實和神話傳說的保存，具有一定的史料價值。

❖歌頌和神化開國的先王

西周頌歌的主要內容，是歌頌周王國的先王，其中歌頌最多的是文王，其次是武王。《周頌》的《清廟之什》十篇（還有《大雅》的《文王之什》十篇），主要是歌頌文王的。篇次已經散亂的《大武樂歌》六篇，是歌頌武王的。

歌頌文王的詩篇所以占居最主要的內容，是有一定現實基礎的。文王執政五十年，奠定了西周建國的經濟和政治基礎，制定了滅商的戰略方針和建國方略，他被稱爲西周王國之父，實際上是西周國家的締造者。總括起來，歌頌文王的詩篇有以下內容：

第一，歌頌他的文治武功，頌揚他開創國家的偉績。〈文王有聲〉等詩述寫「文王受命，有此武功，既伐于崇，作邑于豐」；〈維清〉詩寫「維清緝熙，文王之典」，〈我將〉詩寫「儀式刑文王之典，日靖四方」，都是頌揚文王制定國家的典章制度；〈文王〉詩則歌頌他勤勉地創建國家造福子孫。在這些詩裡，表現了對文王虔誠的崇敬，深切的懷念。這些思念先人功業的頌歌，其基本主題就是「儀刑文王，萬邦作孚」（〈文王〉），宣揚以文王爲榜樣來治理天下；「駿惠我文王，曾孫篤之」（〈維天之命〉），意在懷念先人，繼承遺志。

第二，頌揚他有非凡的人格，歌頌他是道德的化身。在幾乎所有的詩篇中，文王都是一個「其德靡悔」的在道德上十全十美的人物。除《周頌》之外，《大雅》的頌歌寫有關於這一方面的內容更多，〈皇矣〉詩歌頌他「其德克明，克明克類，克長克君」；〈棫樸〉詩歌頌他善於培養任用人才；〈旱麓〉詩歌頌他和樂近人，〈思齊〉詩歌頌他採納善言；〈靈台〉詩歌頌文王營造靈台，羣衆自願支持等等。文王被描寫爲具有至高道德和非凡才能並受到國人擁護愛戴的

「聖王」。

第三，把他的誕生神聖化。爲了把他神化，宣揚他是非常人所生的不平凡的人，他的誕生是上天所安排。〈文王〉詩歌頌他與天同心，是天子，「文王陟降，在帝左右」，所以他上承天命，來管理地上的統治。所有頌歌都對文王像神明一樣崇拜，他已經被偶像化了。

西周頌歌對文王的歌頌，亦即把自己的先王和自己國家的締造者，頌揚爲天意的代表，是至高道德和非凡才智的化身，是秉承天意的救世主，從而把天上的上帝和人間的帝王合在一起，來鞏固政權⑩。

對武王的贊揚，突出的是歌頌他繼承文王遺志伐紂勝利的業績，頌揚他繼承文王的思想和事業，其內容也不出上述的範圍。

❖農事詩

〈臣工〉、〈噫嘻〉、〈豐年〉、〈載芟〉、〈良耜〉是《周頌》中的五篇農事詩，它們在一定程度上反映了西周前期農業生產力的發展水平。

《臣工》和《噫嘻》都是周王籍田禮上的樂歌。所謂「籍田」，實際上是帝王徵用民力耕種的王田。春耕前，由帝王或諸侯執耒耜在籍田上三推或一撥，就算是天子親耕，然後舉行典禮，稱「籍田禮」，用以表示天子對農業的重視，祈求豐年。〈臣工〉詩：「如何新畬，於皇來牟」，「庤乃錢鎛；奄觀銍艾」，反映當時實行輪種，使用鍬、鋤、鐮等農具。工具是生產力的主要部分，西周是青銅時代，鐵製工具尚未使用，但從實物來看，西周青銅器鍛冶水平較商代高。〈良耜〉詩中的耜，即犁頭，只有銅錫合金才能鍛出鋒利堅硬的犁頭。殷墟的發掘曾出土石犁，銅錫合金犁是西周生產力大爲發展的明證。〈噫嘻〉詩還反映出已開墾有「終三十里」的廣闊田野，「十千維耦」，春耕季節衆多農夫在田野耕作⑪。

〈豐年〉、〈載芟〉、〈良耜〉三詩，都是周王在收成後祭祀祖先或社稷的樂歌。〈豐年〉：「豐年多黍多稌，亦有高廩，萬億及秭。」萬石億石糧食入倉，這自然只是極言糧食入倉之多，並非確數，而是反映生產力達到一定的水平。〈載芟〉和〈良耜〉則反映了西周初期農業生產技術和領主的消費水平。結合西周初期民歌〈七月〉來看，當時農業勞動者有自己的家庭，能從收穫物中留下微少的一部分，即有微小的一點個人經濟。這樣的勞動者的身分，不同於希臘、羅馬式的完全隸屬的奴隸，而像是向領主提供實物地租和力役地租的農奴。西周這種生產方式，反映了社會發展過程中的進步。

❖仁德的神

殷商敬奉的上帝是與祖先合一的祖先神，在《商頌．殷武》詩中就活躍著這位神的影子：「撻彼殷武，奮伐荊楚。罙（深）入其阻，裒荊之旅。有截其所，湯孫之緒。」這些詩歌頌神靈的祖先對外侵掠土地財物，俘虜奴隸，壓迫各部族「莫敢不來享，莫敢不來王，曰商是常」；對內殘酷地壓迫奴隸絕對服從其統治：「天命降監，下民有嚴。不僭不濫，不敢怠遑。」

在西周的廟堂裡，這樣的暴力神不再出現了。原來與祖先合一的天帝被改造了，他已經不是哪一個部族的祖先神，而是關心民生疾苦的救世主，他選擇能夠代天保民的仁德者，授予統治萬邦萬民的大命。這位道德神，憎恨違背天心而虐民、害民的暴君，奪回天命並且降予懲罰。《周頌》中的〈敬之〉詩就描述了他們的鑒臨四方的上帝：「敬之敬之，天維顯思，命不易哉！無曰高高在上，陟降厥士，日監在茲。」這些詩貫穿著天命無常。唯德是從的思想，〈唯天之命〉：「唯天之命，於穆不已。於乎不顯，文王之德之純。」〈時邁〉：「時邁其邦，昊天其子之，實右序有周。」〈昊天有成命〉：「昊天有成命，二后受之。」這些頌歌都頌揚周王以仁德而上承天命。周人創造這樣一位披著仁德外紗的仁慈救世主，尊爲新的開國神。

在新王朝建立之後，這位仁德的上帝，又變成維護新王朝的守護神。他一方面保佑並降福給施行仁德的君王，「綏萬邦，婁豐年，天命匪解」（《周頌・桓》），一方面又監察著帝王的行動，讓帝王「維予小子，夙夜敬止」（〈閔予小子〉）。全部《詩經》的政治詩，都要求統治者必須「以殷為鑒」，牢記夏桀、殷紂暴政亡國的歷史教訓。「天命無常，唯德是從」，正是浸透西周頌歌中的基本政治思想。

第六節 《雅》：貴族的詩篇

《大雅》三一篇，《小雅》七四篇，共一〇五篇，全是貴族的作品。《大雅》全是朝會樂歌，《小雅》大多是貴族宴享時演奏的樂歌。

在《大雅》中有一部分是歌頌文王和歌頌大臣功業的頌歌，藝術性不高。比較有價值的是五篇周人開國史詩和一部分貴族政治諷喻詩。《小雅》中除了一部分貴族政治諷喻詩，比較有價值的還有一部分小貴族的怨刺詩；另外還有一些反映貴族生活習俗的詩。《小雅》多為小貴族的個人抒情作品，藝術性較高。茲分述之。

❖周人的開國史詩

《大雅》中的周族開國史詩有〈生民〉、〈公劉〉、〈綿〉、〈皇矣〉、〈大明〉五篇。這五篇史詩都寫定在西周初年，其中有些傳說或篇章，可能很早就在周族內部流傳。

〈生民〉敍述周族始祖后稷的誕生和創業。后稷是周族所知的最早的始祖，詩篇描述了神話傳說中的神奇誕生。后稷的母親姜嫄因爲踏上「上帝」的腳拇指印感應懷孕，生下來的卻是個胞衣不破的怪胎，家人把他扔掉，卻出現了牛羊哺乳、大鳥展翅庇護等的奇迹。后稷應天而生的神話，反映了周族在后稷以前，還處於知其母不知其父的母系氏族社會，從后稷開始才過渡到父系氏族社會。詩的後半部敍述了后稷天賦的農業生產才能，以及他對發展周族農業的貢獻，反映了在遠古時代農業已經成爲周族社會經濟的主要部門，因而周族把從事農業的先人作爲部族的始祖。

〈公劉〉敍述后稷的曾孫公劉，率領部族從邰地遷徙至豳地的事迹。公劉的時代約在西元前一千七百年左右。據說原來住在邰地的周人，受到夏桀的侵略，在公劉率領下渡渭水北遷豳地。周人經過多次戰鬥，趕走在當地游牧的戎狄，開發了廣大的新農墾區，定居發展農業生產。「周道之興自此始」（《史記》），這是周族歷史上的一次大發展。〈公劉〉詩就是對周族歷史上這次大遷移的描寫，反映了這一重要歷史事件，歌頌了深受全族愛戴的領袖公劉的形象，表現了周人遷豳後的一片興旺發達的景象。詩中刻劃了公劉戎裝的英武形象：他是受擁護的軍事領袖——氏族的總族長，從詩篇裡透露出氏族制度解體的信息。

〈綿〉敍述大約在公元前十一世紀左右，居住在豳地的周人，又在古公亶父領導下南遷到岐山之南的周原。古公亶父是文王的祖父，據史傳，這次遷移的原因是殷王暴虐的侵凌和游牧部族的侵擾。全詩第一章寫初遷周原時的艱難；第二至七章寫在周原的大規模建設；第八章寫戰勝長期來侵掠的犬戎，解除了這方面的威脅；第九章寫再傳到文王時代，周成爲西方諸侯中强盛的大國。從詩的描寫可以看到：在肥沃的關中平原上，周人建立的奴隸制國家興盛發達和他們建設的熱情，反映了周國在西方的崛起。

〈皇矣〉敍述和歌頌文王的業績。詩從太王受命、太伯和王季讓國，敍述到文王姬昌興起及其伐密伐崇戰爭的勝利。詩中敍述的太王受命和太伯、王季兄弟讓國的傳說，都是爲了突出文王上承天命和他的至善至美的超人德行。詩的第一章，就形象鮮明地站出來周人所創造的上帝：「皇矣上帝，臨下有赫，監觀四方，求民之莫。」他選擇了「其德靡悔」的文王，要他代天保民。這個神還站在文王的戰車上，命令他除暴安民，去進行伐密伐崇戰爭。詩的中心思想是歌頌文王以天命和仁德取得勝利。

〈大明〉敍述武王姬發繼承乃父遺志，於西元前約一〇六六年伐商的事迹。詩從文王出生寫起，鋪敍到牧野會戰勝利，題旨是歌頌文王、武王。第一章開始寫一代興亡繫於天命，而天德合一，天命無常，唯德是從；第二至六章鋪敍文王、武王承天命出生，宣揚他們是秉承天意的仁德統治者；第七、八章描寫牧野之戰的勝利。詩中精彩的章節是寫牧野之戰，僅有五十六字，卻以極爲精煉的文字，抓住全過程中的幾個突出之點，表現了會戰的首尾及其中重要史實和人物，場面宏偉，氣勢磅礴，形象生動，是中國文學中描寫戰爭的著名章節。

周族的五篇開國史詩，重點敍述了周族歷史發展過程中的重大事件。它們所表現的意識形態中有空洞的歌頌和說教，但也有一些章節形象生動，有一定的藝術性。

❖政治諷喻詩

二《雅》的貴族諷喻詩共二二首，主要產生在厲、幽之世以及東遷之後的一段時間，出自卿大夫之手。其中有幾篇署名，而大多是無名詩人的作品。

這時西周的盛世已經一去不返，內外矛盾發展，社會危機嚴重。厲王橫徵暴斂，實行高壓政策，民怨沸騰，結果國人暴動，把厲王放逐；幽王昏淫，奸佞滿朝，政治黑暗，民不聊生，加上頻繁的自然災害，招致西周的覆亡。這二二首政治諷喻詩，眞實地反映了這個喪亂時代。

《大雅》中的諷喻詩，最著名的是〈板〉、〈蕩〉兩篇。厲王用恐怖手段壓制人民及大臣對他的指責和勸諫，所以兩詩採用假托的方法。〈板〉詩假托諷刺同僚，詩人以「忠正」的面目出現，斥責那些奸佞混亂朝綱，招致民怨沸騰和國家災難，指出人民已無法忍受，如不改正就要亡國。這顯然是諷刺厲王的。〈蕩〉詩托古諷今，假託文王哀傷殷紂王暴虐招致滅亡，嚴斥紂王親信壞人，不用賢才，凶殘貪暴，沈緬酒色，是非不分，內外交怨；他說夏桀的滅亡是殷商的鏡子，要牢記天命無常的教訓。這實際上是要厲王以殷為鑒，否則也難免同樣的下場。

〈桑柔〉也是一篇代表作。在詩的開頭，詩人以桑樹來比喻周王朝，說國家興盛時像一棵枝葉茂盛的大樹，如今成了一棵衰落的枯樹；接著，描寫暴政給人民造成深重災難：「民靡有黎，具禍以燼。於乎有哀，國步斯頻。」意爲人民死亡殆盡，都像災難後的餘燼，可哀啊！國家命運已經危急。「民之貪亂，寧爲荼毒」；「民之未戾，職盜爲寇」；「天降喪亂，滅我立王」。詩中反覆說明了徵役不息、民不聊生是禍亂的根源。雖然詩人在充滿激憤和憂傷地反覆勸諫，但他已預見到周王朝統治已面臨無可挽救的崩潰。

《大雅》中的〈抑〉和〈民勞〉也是廣爲傳誦的諷喻詩。〈抑〉是西周末年一位元老勸諫周王的詩，以老臣的身份，他批評周王昏庸驕橫，糊塗無知，勸告周王守禮修德，謹言愼行。〈民勞〉據說是召穆公諫厲王的，也是用愛護周王的口氣，勸諫周王防奸安民。這些詩的基本思想，都是擧著西周初期敬天保民的旗幟，要求排斥朝中奸佞，改變暴虐的掠奪政策，安定社會，來維護王朝的長治久安，這是統治階級內部「正」與「邪」兩派力量的衝突，也在一定程度上反映了西周後期政治黑暗、民生困苦的社會現實。

《小雅》中的〈節南山〉、〈十月之交〉等詩，就寫得更爲大膽直率，言詞激切。〈節南山〉直接批評周王和太師尹氏，批評周王不問國事而委政小人，斥責尹氏暴虐不公，希望喚醒周王斥退奸佞而進用君子。〈十月之交〉反映的是西周末年的腐敗政治。詩中關於日蝕的記載，是世界上最早的日蝕記錄。詩中的十月，經推算是幽王六年（西元前七七六年）十月。前三章寫日蝕、月蝕和涇、洛、渭三川地帶大地震，借自然災害象徵政治黑暗和國家危機；第四章指名道姓點出八個當權大官僚，畫了一幅羣醜圖；五、六章寫羣醜的罪惡；第七章說明人民的苦難不是天降而是人爲；最後一章表明獨善其身盡瘁職守。這篇詩反映了西周崩潰前夕的社會現實：一方面是日蝕、大雷霆、地震山崩、百川沸騰的自然災害；一方面當權的統治階級君淫臣嬉，橫徵暴歛，加重勞役，田園荒蕪，在崩潰前夕，當權小人就帶著金銀珠寶逃跑。詩人雖然還認爲天災是上帝的警告，但他指出這是由於統治階級的罪惡造成的，而且人禍甚於天災。詩人站在孤臣孽子的立場，爲西周王朝的崩潰唱了挽歌。《小雅》中的政治諷喻詩較之《大雅》感情更爲激憤真切，對現實的暴露也較爲尖銳深刻。

❖怨刺詩

《小雅》中有一些個人傷世感時、憂讒畏譏之作，我們稱爲「怨刺詩」。它們的作者大多是小官吏和普通士人。〈北山〉和〈巷伯〉是其中著名的篇章。

〈北山〉是小官吏發泄內心不平的怨刺詩，他苦的是沒完沒了的王事，怨的是貴賤不同、勞逸不均；身居下層的小官吏，也是身受壓迫、心懷不滿的。詩的第一章傾訴久役在外憂念父母；第二章提出勞役不均；第三章談被驅使奔走四方，第四至六章歷舉六種勞逸不均的現象，將上層貴族的優閒和自己的勞苦對比。詩的中心如第二章所述：「溥天之下，莫非王土；率土之濱，莫非王臣；大夫不均，我從事獨賢！」

〈巷伯〉寫一個名叫孟子的寺人（宦官），由於小人進讒而受到迫害，他恨透了進讒的人，寫詩發泄滿腔的怨憤。他對進讒者極盡詛咒之能事，最後說：「取彼譖人，投畀豺虎。豺虎不食，投畀有北。有北不受，投畀有昊。」他對進讒者恨之入骨，竟想扔給虎狼去吃，拋到極寒冷之地。從他的怨恨之深，也可見他受害之深。

許多怨刺詩都是寫個人對所處的政治地位和受到的待遇的不平之感，而〈大東〉一詩卻寫東方附屬國對周王朝的不滿。東方的小國是被周王朝用武力征服的，詩中反映了東方小國對周王朝强加給他們的過重負擔發抒不平，它用西人（周人）和東人生活的對比，反映了周王朝所實行的種族剝削和奴役。

《小雅》的怨刺詩，由於是詩人抒發個人在生活中的直接感受，有些詩寫得情眞意切，有一定的藝術性。

第七節　《國風》：民間的歌辭

《國風》一百六十篇，分屬十五個國家和地區，產生時間最早的有西周初年流傳下來的民歌，最晚的是春秋時代的作品。其中有的作品的作者是勞動人民，有的則是貴族，不能認爲《國風》都是勞動人民的作品。這些作品的內容豐富多彩，其主要內容有：勞者之歌、行役之怨、情詩戀歌、婦女婚姻、國家興亡、民俗風習、諷刺民謠、沒落哀歌等類。

❖勞者之歌

何休注《公羊傳》說：「饑者歌其食，勞者歌其事。」《詩經》中的一部分詩篇，唱出人民的苦難，唱出人民的憤怒和不平。

《豳風．七月》一詩敍述了三千年前農民的生活。詩的抒情主人公是被壓迫的農民，他代表著廣大的被奴役的農民，傾訴他們一年到頭艱辛的勞動過程和生活的實際狀況。全詩八章：第一章描述從入冬到春耕的苦況，寒風凜冽，無衣禦寒，還要全家爲農奴主準備春耕；第二章敍述婦女失去人身保障的內心憂傷；第三章寫製作布帛是爲農奴主縫製衣裳；第四章寫秋收後去爲農奴主狩獵；第五章描述農奴修補破屋過冬；第六章寫農奴生產糧食瓜果，釀造美酒，自己卻摘野菜充饑；第七章寫糧食交公，一年農事完畢，冬天還要給農奴主當差，日夜服役；第八章寫冬季爲農奴主儲冰防暑、準備宴會，還要去祝福萬壽無疆。全詩對統治者和被統治者的生活作了鮮明的對比，宛如一卷農事速寫連環畫，每幅畫面寥寥數筆，選取衣食住等生活中具有典型意義的細節描寫，運用對比手法，構成鮮明對立的形象。全詩又採用分類直敍的方法，一件件、一樁樁，用簡樸的語言陳述事實，不作誇張渲染，卻又聲聲淚、字字血，十分感人。

《魏風・伐檀》是伐木者勞動時唱的歌。歌詞共三章，每章九句。每章前三句抒寫伐木者砍伐檀樹製車的勞動和眼前風光，後六句是伐木者對不勞而獲的貴族老爺的質問和諷刺：「不稼不穡，胡取禾三百廛兮？不狩不獵，胡瞻爾庭有縣貆兮？彼君子兮，不素餐兮！」這幾句在三章中反覆詠唱，每章只變換幾個字，而意義不變，質問得有力，諷刺得辛辣。

《魏風・碩鼠》中的農民，把農奴主比作大老鼠，痛罵它吃食農民的糧食，決心離開它，去尋找「樂土」、「樂國」、「樂郊」：「碩鼠碩鼠，無食我黍！三歲貫女，莫我肯顧。逝將去女，適彼樂土。樂土樂土，爰得我所。」這篇詩反映了農民不堪忍受農奴主的殘酷剝削，打算逃亡，去尋找一塊烏托邦式的樂土，表現出他們對自由幸福生活的嚮往。

《秦風・黃鳥》是控訴奴隸社會殉葬制度的。《左傳・文公六年》載：「秦伯任好卒，以子車氏三子奄息、仲行、鍼虎爲殉，皆秦之良也，周人哀之，爲之賦〈黃鳥〉。」《史記・秦本紀》記這次爲秦穆公殉葬者一七七人。殉葬者當然是奴隸。詩從棘、桑上黃鳥的哀鳴起興，直抒內心的悲痛和對殉葬者的哀悼，作結的四句說：「彼蒼天兮，殲我良人。如可贖兮，人百其身。」從口氣看，歌唱者是與殉葬者同等身份的人。歌詞中充滿對統治者憤怒的控訴。

❖行役之怨

徭役是沈重的政治壓迫，也是超經濟的剝削，它侵占生產力，造成農業生產荒廢，人民生活無計。《唐風．鴇羽》就是徭役者的怨歌：「肅肅鴇羽，集于苞栩。王事靡盬，不能蓺稷黍。父母何怙？悠悠蒼天，曷其有所？」王事，這裡指的是以國王的權力向民間强迫徵用的「官差」，它無休無止，把農民驅離土地，使得生產荒廢。農民生活沒有著落，渴望安居樂業，哀呼蒼天，表示對徭役的抗議。

《魏風．陟岵》也是同類題材的詩。詩中寫一位役夫登高眺望故鄉，思念父母兄弟，在他的想像中，親人也正在牽掛自己。全詩三章，一章思父，二章思母，三章思兄。如第二章：陟彼屺兮，瞻望母兮。母曰：嗟！予季行役，夙夜無寐。上愼旃哉，猶來無棄！」詩中情眞意切，表現了深刻的骨肉之情，反映了因徭役而生離的怨恨。

《王風．君子于役》寫一位婦女懷念在遠方長期服勞役的丈夫，在家禽和牛羊歸來的黃昏，她唱出了內心深切的思念：「君子于役，不知其期。曷至哉？雞棲於塒，日之夕矣，羊牛下來。君子于役，如之何勿思？」全詩以濃厚的生活氣息，純樸眞摯的感情，反映了徭役給人民帶來的痛苦。

反映兵役苦的詩，有《邶風．擊鼓》，寫衞國遠戍陳、宋的士兵思鄉厭戰。詩中敍述戰事不斷，士兵與家人長期別離，末二章說：「死生契闊，與子成說。執子之手，與子偕老。于嗟闊兮，不我活兮，于嗟洵兮，不我信兮！」《豳風．東山》是抒寫遠戍士卒歸來的優美抒情詩。詩四章：第一章寫東征後解甲西歸，沿途露宿；第二、三章寫家園頹敗，妻子嘆息；第四章回憶出征前的幸福生活。詩中從出征後家室的殘破淒涼，和出征前新婚的美滿幸福的回憶形成強烈的對照，形象鮮明地揭示出戰爭給人們帶來的災難。

❖情詩戀歌

情詩戀歌在《國風》中佔很大比重。這些民間詩歌大都以真摯、熱烈、純樸而健康的歌唱反映出愛情生活中各種典型的情感，描述了青年男女對愛情幸福的渴望，大膽的追求，幽會的歡樂，相思的痛苦，熱戀過程中的波瀾，失戀的悲傷，以及個人意志和家庭、禮教的衝突等等，相當全面地反映了當時人們的愛情生活。

《周南．關雎》是一首相思戀歌，是《國風》的第一篇，也是全《詩經》的第一篇。〈關雎〉寫一個男子愛上美麗而善良的姑娘：「關關雎鳩，在河之洲。窈窕淑女，君子好逑。」他聽到水洲上成雙成對的水鳥在歡樂地鳴唱，想到那個美麗善良的姑娘，正是他理想的配偶。「參差荇菜，左右流之；窈窕淑女，寤寐求之。求之不得，寤寐思服；悠哉悠哉，輾轉反側。」荇菜在水流中搖動，那個姑娘採荇菜的姿影，又在他的眼前閃現。他陷在相思之中，不論是睡著還是醒時都在相思，以致翻來覆去難以入睡。「參差荇菜，左右采之，窈窕淑女，琴瑟友之。參差荇菜，左右芼之；窈窕淑女，鐘鼓樂之。」那在水中搖動的荇菜，要左邊右邊尋找，那美麗善良的姑娘，彈琴調瑟多親愛，敲鐘打鼓娶過來。這後面一章敘述的可能是幻景，他想像同那個姑娘結成情侶，共同享受婚後的歡樂生活。

《鄭風・溱洧》和《鄭風・蘀兮》都是描繪青年男女自由歡會的詩。〈溱洧〉記述鄭國三月上巳節青年男女的歡會。《周禮》：「仲春之月，令會男女，於是時也，奔者不禁。」這首詩描寫鄭都上巳節青年男女在河邊歡樂遊會的情景：「洧之外，洵訏且樂。維士與女，伊其將謔，贈之以勺藥。」表現了青年男女在節日遊玩時選擇稱心的對象，贈物定情。這首詩反映出當時民間男女的戀愛還是有一定自由的。〈蘀兮〉寫的是青年男女對歌，一個姑娘要求男子領唱，她來和。她先唱道：「蘀兮蘀兮，風其吹女。叔兮伯兮，倡，予和女！」全詩情調歡快，可以想像到那是一個歡樂對歌的自由快樂的環境。

《召南・摽有梅》寫一位大齡女青年對愛情婚姻的迫切追求。她坦率地說：「摽有梅，其實七兮。求我庶士，迨其吉兮。」這是第一章。第二章，「其實三兮」，她要小伙子，不要過了今天。第三章就「頃筐塈之」，她只等小伙子開一開口。這樣層層遞進，用梅子快要落完，象徵青春快要消逝，盼望小伙子及時前來求婚。

《鄭風．子衿》寫一個少女盼望會見情人的焦急心情。她在城樓上焦灼地等待情人：「青青子衿，悠悠我心。縱我不往，子寧不嗣音？」那小伙子青青的衣領（代指姿影）撩繞她的心，不見他來，她生氣了：縱然我不去，你爲何就不來個信？「挑兮達兮，在城闕兮。一日不見，如三月兮！」她急得在城樓上走來走去，覺得一天不見面，好像三月長，最後這句詩，在《王風．采葛》裡說成「一日不見，如三秋兮」，這樣表達相思摯情的精煉生動的語句，一直到今天還是廣泛流行的成語。

《鄭風．褰裳》中的姑娘，她和前兩詩中的姑娘處理矛盾的方式又不同。她唱道：「子惠思我，褰裳涉溱。子不我思，豈無他士？狂童之狂也且！」她的性格爽朗，要對方表示明確的態度，要愛她，就到她身邊來，不愛她，她就另找別人。這裡表現了她處理愛情關係的爽朗態度和主動精神。

《衛風．伯兮》是《詩經》中寫妻子思念出征丈夫的名篇。它生動地表現了丈夫出征後妻子生活的空虛和內心哀傷，反映出她對丈夫的深摯情愛。第一章稱讚丈夫英雄蓋世，第二、

三、四章都寫相思，說她想得頭疼，想成心病，可是她還要想。第二章寫道：「自伯之東，首如飛蓬。豈無膏沐，誰適爲容？」這些都是廣爲傳誦的篇章。

《鄭風‧將仲子》寫一個少女熱戀她的情人，但又不得不拒絕他前來幽會，她委婉地央求他：「將仲子兮，無踰我里，無折我樹杞。豈敢愛之？畏我父母。仲可懷也，父母之言，亦可畏也。」這是第一章，第二章是「畏我諸兄」，第三章是「畏人之多言」。她是十分愛這位小二哥的，但又怕父母、兄長的責備和人們的閑話，生動地刻畫出她心靈中愛與畏的矛盾。

《秦風‧蒹葭》是一首非常優美的抒情詩。在一個深秋的早晨，蘆葦上的露水還沒有乾，詩人便來到水邊尋找自己心目中的「伊人」：「蒹葭蒼蒼，白露爲霜。所謂伊人，在水一方。溯洄從之，道阻且長。溯游從之，宛在水中央。」詩共三章，反覆吟詠，層層遞進，詩人含情脈脈地在水邊，那伊人總是可望而不可及。溯流而上吧！道路崎嶇遙遠；順流而下吧！她又彷彿在水的中央，表現出徬徨惆悵的心情，流露出對伊人深深的愛慕。全詩意境優美，畫面生動，情景交融，是《詩經》中的名篇。

❖婦女婚姻

在春秋時代，「父母之命，媒妁之言」的婚姻禮法已經存在，如《齊風．南山》後二章所說：「蓺麻如之何？衡從其畝。取妻如之何？必告父母。既曰告止，曷又鞠止，析薪如之何？匪斧不克。取妻如之何？匪媒不得。」這種封建禮法，剝奪了許多青年男女戀愛婚姻的自由，製造了不少血淚悲劇。

《鄘風．柏舟》寫的就是一個被迫害的少女。她的戀愛婚姻受到母親的干涉，不能自主，她的母親强迫她另嫁別的男子。她悲憤已極，呼老天叫親娘，誓死不改變主張。全詩二章內容複沓：「汎彼柏舟，在彼中河。髧彼兩髦，實維我儀，之死矢靡它。母也天只，不諒人只！」表現出她愛情的堅貞和爭取婚姻自主的精神。

婦女的婚姻不但受到禮教的約束，而且常被輕薄的男人所欺騙，遭到被遺棄的悲慘命運。《邶風．谷風》和《衞風．氓》都是棄婦詩中的名篇。

〈谷風〉是被遺棄的婦女的哀訴。她曾經與丈夫共患難，生活安樂了，丈夫卻喜新厭舊。她哀怨地傾訴滿腔的癡情和被棄逐的痛苦。全詩六章，每章六句：一章是委婉的勸說，希望能夠挽回丈夫的心，不被棄逐；二章寫逐離時戀戀不肯離去；三章寫丈夫新婚，自己實在於心不甘，但又無可奈何；四章敍述過去持家的艱辛和勤勉；五章說丈夫不念昔日患難相共而於安樂之時相棄；末章寫她依然舊情未斷，勸丈夫勿忘往日的相好。詩中抒情主人公是一位勤勞、癡情又軟弱的婦女，一直期望負心的丈夫回心轉意；除了逆來順受，她別無其他良策。全詩描寫的「癡心女子負心漢」，反映了廣大勞動婦女受壓迫的無權地位和被遺棄的悲慘命運。

〈氓〉是一首敍事詩，內容是一個被遺棄的婦女自訴從戀愛、結婚到被遺棄的過程，泣訴了她錯誤的愛情，不幸的婚姻，她的悔、她的恨和她的決絕。她與丈夫原來由戀愛而結婚，過了多年窮苦、勤勞的日子，以後家境逐漸寬裕，而她年老色衰，竟被丈夫無情遺棄。全詩六章，每章十句：一章寫訂婚；二章寫結婚；三章追悔陷入情網；四、五章寫丈夫負心，遭受遺棄；六章寫對負心人的怨憤，表示從此決絕。這首詩也典型地反映了舊社會婦女在婚後被任意遺棄的悲苦命運。

《王風．中谷有蓷》是以詩人的口吻，對被離棄的婦女表示同情。詩人悲嘆婦女被棄後孤苦無告，然後說明婦女嫁人識人難，嫁給壞人則追悔無及；作者把棄婦的不幸歸結為「遇人不淑」，認識不到這是社會制度造成的。

❖國家興亡

《國風》也有些篇章，表現了愛國精神，保家衞國的意志，以及爲國家喪亂而哀傷。

《鄘風．載馳》據史傳記載是春秋時代許穆夫人穆姬所作。西元前六六○年，狄人攻破衞國，衞懿公被殺，衞國殘軍流亡漕邑，立戴公爲君。戴公之妹許穆夫人聞衞國敗亡，趕往漕邑，策劃向大國呼籲求援。許國國小怕事，百般阻撓她的出行，她不顧許國大夫們的反對和攔阻，毅然趕到漕邑執行她拯救國難的計劃。詩從主人公疾馳回國開始，中間敍述她對前來攔阻的許國大夫反覆申明回國的理由和決心；表示爲救國難決不中途回轉；末章說明她拯救國難的計劃和自己行動的正確性。詩中主人公表現了對故國國難的關懷和對阻撓者的憤懣，比較深刻地抒寫了她拯救國難的堅毅意志。

《秦風．無衣》是軍中歌謠，抒寫秦國人民在國王號召下團結一致，同仇敵愾抗禦入侵的戰歌。當時秦國時常受到西部和北部游牧部族的野蠻侵擾，當時「王事唯農是務……三時務農而一時習武」（《國語．周語》）。爲了保家衞國，一聽到號召便立即武裝起來，組成軍隊迎敵。「豈曰無衣？與子同袍！王于興師，修我戈矛，與子同仇！」詩的基調慷慨激昂，表現了士兵積極應召、勇於赴敵的氣概，也反映了戰士間解衣推食、團結一致的精神。

《王風・黍離》是西周亡國後的作品，作者是以前的大夫，他行經故都鎬京，看到過去的宗廟和宮室已經成爲田地，長滿禾黍，引起心中無限感傷：「彼黍離離，彼稷之苗。行邁靡靡，中心搖搖。」往日莊嚴繁華的宮室，竟然變成一片田野了，詩人不由得「心中如醉」、「如噎」。「知我者，謂我心憂；不知我者，謂我何求？悠悠蒼天，此何人哉？」這個問語問得意味深長，全詩悲涼感傷，而貫穿全篇的憂思，不是個人命運的憂憤，而是關心國家的衰亡，以後歷代就把亡國之哀，稱爲「黍離之悲」。

❖民俗風習

《國風》中的有些篇章，從不同的方面，反映了當時的民情風俗。

《周南・桃夭》是祝賀女子出嫁的樂歌。詩中把女子出嫁稱作「于歸」，希望她嫁後「宜其室家」「有蕡其實」；前者指家族和美，後者指多生貴子。

《周南・螽斯》是一首祝人多子多孫的詩，詩中用蝗蟲多子作比喻，反映那個時代以多子多孫爲福。另一首《魏風・椒聊》，也是贊美婦女多子的。漢代人用「椒房」，稱皇后住室，取其多子吉祥之意。這些都是古代風俗。

《周南・芣苢》是一羣婦女採集車前子時結伴詠唱的短歌。「讀者試平心靜氣，涵詠此詩，恍聽田家婦女，三三五五，於平原繡野，風和日麗中羣歌互答，餘音裊裊，若遠若近，忽斷忽續，不知其情之何以移，而神之何以曠，則此詩可不必細繹而自得其妙焉。……今世南方婦女登山採茶，結伴謳歌，猶有此遺風焉。」（方玉潤：《詩經原始》）《魏風・十畝之間》也是屬於這類的採桑歌。）

《豳風・伐柯》反映民間婚姻要通過媒人：「伐柯如何？匪斧不克。取妻如何？匪媒不得。」伐柯的「柯」，指斧柄，要砍斧柄，不用斧頭是不行的，用來比喻完成婚姻必須要有媒人，後來便稱爲人作媒叫「伐柯」，或「作伐」，這一習俗流傳久遠。

❖諷刺民謠

《國風》中還有相當一部分詩篇是諷刺和揭露貴族統治者醜行的。貴族統治者殘酷壓榨人民，他們自己卻過著荒淫無恥的生活。對他們的醜行，人們在自己的歌謠裡，給予無情的諷刺。

《鄘風・相鼠》諷刺喪失廉恥的統治者白披一張人皮，連令人厭惡的耗子都不如：「相鼠有皮，人而無儀；人而無儀，不死何爲？」二章說統治階級「無恥」，咒他們「不死何俟」；三章說他們「無禮」，咒他們「胡不遄死」。詩中嬉笑怒罵，十分辛辣。

《鄘風・牆有茨》也是這樣地嬉笑怒罵，揭露宮廷之內盡是淫亂無恥的醜行，這些醜行講出來都會汚嘴。這首詩也是三章，每章只換幾個字，其首章：「牆有茨，不可掃也。中冓之言，不可道也。所可道也，言之醜也。」二、三章意思仿此，只是逐章加深。宮廷內的淫亂無恥已經到了一時說不完，而且話兒也汚嘴的程度，揭露得入木三分，也足見鄙棄之深。

《邶風・新臺》是揭露衞宣公劫奪兒媳的亂倫醜行的。衞宣公極爲荒淫無恥，他先與庶母私通，生下兒子伋，後爲兒子伋娶齊女爲媳，見兒媳貌美，就劫奪爲己有，爲之在黃河岸上築新臺。新臺建造的原因，當時衞國人都知道，所以第一句就點出「新臺有泚」，然後通篇用借喻的手法，用醜惡的癩蛤蟆比喻衞宣公，說美麗的新娘本想嫁個如意郎，不料卻是個癩蛤蟆。

《陳風・株林》是陳國人民諷刺陳靈公淫夏姬的詩。夏姬是陳國大夫夏御叔的妻子，生了個兒子叫夏南。陳靈公同夏姬私通，不分晝夜往夏家跑。這首歌謠就指名道姓揭露醜行：「胡爲乎株林，從夏南？匪適株林，從夏南。」歌謠故意設問：陳靈公爲什麼往株林跑，是找夏南嗎？接著又自問自答道，原來到株林去不是找夏南的。那麼去幹什麼，就不言而喩了。據說由於人民的非議傳揚，夏南終於殺掉陳靈公。

《鄘風・鶉之奔奔》進而揭露：所有統治全國的國君，都不是好東西：「鶉之彊彊，鶉之奔奔，人之無良，我以爲君！」詩人諷刺統治者連禽鳥不如，用犀利的語言說明他們不配當君王。

像這樣尖銳諷刺貴族統治者的詩歌，《國風》和《小雅》中還有一些。

❖沒落哀歌

春秋時代的社會大動蕩，許多貴族被逐出他們富貴的天堂，降落到民間。《國風》中有一些這類沒落貴族的哀歌。茲舉《秦風．權輿》、《陳風．衡門》爲例。

《權輿》寫一個沒落貴族進行今昔對比，他爲今朝的貧困而嘆氣，回想當年：「於，我乎，夏屋渠渠，今也每食無餘。于嗟乎！不承權輿。」下章說他當年每頓飯菜四大件，如今頓頓吃不飽，他是多麼留戀那失去的天堂。

《陳風．衡門》歷來被認爲是歌詠「安貧樂道」的名篇，通過這首詩提倡安貧寡欲、樂道忘飢的思想；詩中的「衡門棲遲」、「泌水樂飢」語句，成爲安貧樂道的典故，麻痹知識分子的催眠劑。詩中說：「衡門之下，可以棲遲。泌水洋洋，可以樂飢。豈其食魚，必河之魴？豈其取妻，必齊之姜？」黃河魴是他過去的桌上菜，齊國姜姓是當時的名門望族。郭沫若對這首詩有獨到的領會，他說：「這首詩也是一位餓飯的破落貴族作的。他食魚本來有吃河魴河鯉的資格……但是貧窮了，吃不起了。他娶妻本來有娶齊姜宋子的資格，但是貧窮了，娶不起了。娶不起，吃不起，偏偏要說兩句漂亮話，這正是破落貴族的根性，我們在現在也隨時可見。」（《中國古代社會研究》）

第八節　《詩經》的語言藝術

詩是語言的藝術。它以語言爲材料，構造出生動感人的形象。《詩經》不但是重要的古代社會史料，而且是中國古代文學的現實主義的源頭。它的藝術經驗，對後世文學創作，尤其是詩歌創作有深遠的影響。

❖語言、句法和章法

首先談語言

《詩經》是第一部用漢字記錄的詩集，《雅》《頌》是士大夫的創作，是用當時通用的標準語即雅言寫作的，《國風》是各地區的作品，其中還有相當數量的民歌，但經過記錄時整理加工，也進行了語言規範化的處理。孔子說：「《詩》、《書》、執禮皆雅言也。」（《論語‧述而》）十五《國風》語言文句的統一和音韻的一致，可作證明。所以說，《詩經》的語言是經過提煉加工的書面語，是在先秦全民共同語的基礎上規範化的語言，它對我國書面語言的統一和發展，起了積極作用。

《詩經》一共使用了二九四九個單字，有許多單字是一字多義的，按字義計算，大約有三千九百多個單音詞。先秦的兩周時代，是漢語詞彙由以單音詞爲主向以雙音詞爲主開始過渡的階段，這些單字又構造了近一千個複音詞。這樣數量衆多的詞彙，反映事物較爲豐富，表現較爲精確，它們就是兩千多年以來所使用的文言文的前身。其中許多詞彙，至今還是現代漢語中表現力强的詞彙。

作爲藝術的語言，《詩經》運用了豐富的動詞、單音形容詞和複音形容詞，以及創造性地運用疊字以及雙聲疊韻詞；它的另一特色，是大量運用虛詞。這些，增加了語言的形象性和韻律美，又加深了語意和增强了語言的表現力。同時，《詩經》又綜合運用各種修辭格，諸如比喻、比擬、借代、誇張、對比、對偶、襯托、排比、層遞、設問、反問、頂眞、迴環、摹狀、擬聲、雙關、反語，以及疊字、疊句、雙聲、疊韻等等。常常在一篇詩中，具有不同修辭效果的辭格交錯使用，前後配合，互補互襯，珠聯璧合，渾然一體，把內容表現得豐富多彩，鮮明有力。

下面談句法

《詩經》的句型以四言爲主體。《詩經》總句數爲七二八四句，其中四言句爲六七二四句，約占九二%强，其他爲雜言。《詩經》是四言詩，但它又兼采雜言，形式靈活多變；這尤以《國風》形式變化多，表現了活潑自由的民歌特色。前人曾評價《詩經》的句式：「三百篇造句大抵四言，而時雜二三五六七八言；意已明則不病其短，旨未暢則無嫌於長。短非蹇也，長非冗也。」這是說《詩經》既有工整和諧的格式，又不受其束縛，用以表現各種不同的內容，造成各種不同的語氣，做到工整與靈活相統一。

再談章法

《詩經》章句，多少、長短不等。有的詩篇有十章，有的僅有一章；有的一章多到二十二句，有的一章只有兩句。孰多孰少，孰長孰短，視表達的內容而定。

十五《國風》以及接近《國風》的《小雅》，比較普遍地使用重章疊唱的方法。很多詩篇，全篇各章的結構語言幾乎完全相同，中間只換幾個字，有時甚至只換一兩個字。這樣採用章節複沓的形式，反覆詠唱，便於記憶，利於傳唱；反覆詠嘆同一內容，一唱三嘆，又能夠充分抒發思想感情，加强感染力量，給人留下深刻的印象。這是《詩經》語言藝術的一大特色。重章疊唱，可以通過鮮明的節奏感和音樂性創造濃郁的意境，可以反覆强調一種思想或願望來加强主題的感染力量，可以起到一章比一章詩意發展或感情加深的作用。有的詩是整章重複，也有一些詩只重複開頭的幾句，或只重複結尾的幾句，形式也是多樣的。

《詩經》的複沓章法對中國詩歌創作有深刻影響。直到現代，重章疊唱，尤其是每一節重複前幾句或後面幾句，仍然是詩歌創作常見的表現手法。

❖自然韻律

《詩經》三〇五篇全是合樂的歌詞。合樂，要有和諧的音節。除《周頌》中有七篇詩無韻，其餘二百九十八篇詩有韻，占百分之九十八，所以說，《詩經》是有韻律的。現在覺得有些地方不合轍押韻，是因爲語言長期演變，一部分古音與今音不同。《詩經》入韻的字一共一千九百多個，其中十分之七今音與古音相同，十分之三今音與古音不同。⑫

韻律，包括節奏和韻脚。《詩經》主要是四言詩，每一句由兩個音步組成，每個音步是一個雙音節構成的音頓。雙音頓的節奏點落在第二個音頓。

《詩經》中的用韻靈活多變，有三種基本方式：一、從頭到尾句句用韻，這包括一章中一韻到底，或一章雙韻；二、隔句用韻，即在單句不押韻，在雙句押韻，所以又稱偶句韻，這在《詩經》中是常見的韻式，如一章中最後一句是單句，則或不用韻，或重疊用韻，唐人律詩、絕句基本上繼承了這種韻式。

以上只是三種基本的形式，實際上變化很多，如還有抱韻（一、四用韻或二、三用韻）、疏韻（隔兩句用韻）、遙韻（這一章的某句與下一章相應部位的某句用韻），在一篇詩中或換用各種用韻方式，或換韻。由此可見，《詩經》有韻律，但又靈活自如，表現出格律和自由的統一。

❖賦、比、興並用

賦、比、興三義，是《詩經》所用的三種基本的表現方法。明・謝榛《四溟詩話》作過統計：「予嘗考之三百篇，賦七百二十，興三百七十，比一百一十。」這三種基本的方法，《詩經》是並用的，它們各有各的作用，其中，賦用得最多。

賦的特點是直接敍述事物、鋪陳情節、抒發感情。《詩經》中的賦體詩，敍事、寫景、抒情兼而有之。它以賦體抒情，或直抒胸臆，或意在言外、委婉含蓄；以賦體寫景，可以做到形神俱似、情景交融；以賦體敍事，或鋪敍敷陳，或重點勾勒，運用各種不同的陳述方法，注意語言的形象化。《詩經》的賦，成功地綜合運用各種修辭格，或兼寓比興之義。《詩經》爲賦體的手法提供了許多成功經驗。

比，即現代修辭學的比喻和比擬兩種辭格。純乎比體的詩，《詩經》中只有〈碩鼠〉、〈鴟鴞〉、〈螽斯〉、〈鶴鳴〉數篇；爲起修辭作用而在賦句或興句中用比喻，這樣的例子俯拾皆是。它所用的比喻，有明喻、隱喻、借喻；也用比擬，即物的人格化或人格的物化。《詩經》普遍運用比，有些比喻和比擬，創造了許多成功的經驗，如：選擇人們熟知的事物作喻體；貼切生動而又往往誇張喻體，借以使本體的某種特徵突出；比喻具有感情色彩；同時，其衆多比喻中的絕大多數是新鮮的。

興，即起興。對「興」的解釋，古時學者意見紛繁，現在學術界通常認爲：興，是在一首詩或一章詩的開頭，先言他物以引起所詠之辭。朱熹《詩集傳》標注「興」的爲二百六十五章，約占全部一千一百四十一章的四分之一；謝榛《四溟詩話》則統計爲三百七十處。雖然他們對「興」義的理解有出入，具體數字不同，但「興」在《詩經》中大量使用，則是公認的。《詩經》運用這種手法，大致有三類情況：

第一類是興辭只有發端起情和定韻的作用，而與下文在意義上沒有什麼聯繫，即朱熹所說的「全不取其義」。

第二類是起興的形象與下文所詠之辭在意義上有某種相似的特徵，因而能起一定的比喻作用，即毛、鄭派所說的「託物起興」、「興寓美刺」。

第三類是起興對正文有交待背景、渲染氣氛和烘托形象的作用，起到鍾嶸所說的「文已盡而意有餘」的效果。

詩要用形象思維，比、興兩法是形象思維的重要手段，在《詩經》中保存著一些成功的範例，可茲借鑒。

第九節 《詩經》的注疏和研究

兩千餘年來，《詩經》的注疏和研究，積累了豐富的資料。每一代人，都在繼承前人注疏和研究資料的基礎上，把注疏和研究向前推進。

《詩經》是儒家的經典，當作封建社會的政治倫理教科書，因此，在封建社會，《詩經》研究以經學爲主體，以宣揚儒家教義爲主要內容，這就不能不嚴重地掩蓋《詩經》的本來面目。但是，隨著社會運動的發展，經學經過幾次重大的變革，各個時代的學術思潮有所變化。在各個學派的論爭中，新起的學派爲了駁倒舊的學派，最初也以一定的求實精神，對《詩經》的某些方面，作出一些符合實際或接近實際的解釋，積累了一些不無可取的訓詁、考證等材料。經學發展的幾個階段，和中國文化發展的階段是密切聯繫的，所以我們也按照這條主線，把《詩經》研究史分為五個階段。

一、**先秦時期**。孔子整理三百篇，作為傳授弟子的教材，倡導儒家詩教，他說《詩》採取觸類旁通、斷章取義的方法來貫徹他的「仁」、「禮」學說。孟子繼承並且發展了這種思想和方法，提出「知人論世」、「以意逆志」的方法論。荀子也繼承了孔子的詩教理論和方法，進而創立了「明道、徵聖、宗經」的文學觀。這些，奠立了後世《詩經》研究的理論基礎。

二、**漢學時期**（**漢至唐**）。漢初《詩》成為「經」。漢代魯、齊、韓、毛四家傳《詩》，反映漢學內部今文經學和古文經學的衝突，後《毛詩》獨傳，《毛傳》體現了古文經學的成果。鄭玄以《毛詩》為本，兼採三家，集東漢語言文字學研究的大成，為《毛傳》作箋，完成了劃時代的《毛詩傳箋》。唐初孔穎達又採六朝以來《詩經》注疏的可取之說，為《毛詩傳箋》作疏為《毛詩正義》，統一漢學各派的衝突。在六朝文學創作繁榮、文學理論批評發展之際，以《文心雕龍》、《詩品》為代表的文學理論著作，開始總結《詩經》創作經驗，探討其藝術表現方法。

三、**宋學時期**（**宋至明**）。宋人改造儒學，興起自由研究、注重實證的思辨學風，對漢學《詩經》之學提出批評，展開廢序與尊序的論爭。朱熹的《詩集傳》是宋學《詩經》注疏研究的集大成著作。它以理學爲思想基礎，集中宋人訓詁、考證的成果，又比較注意到《詩經》的文學特點。這部注說直到清代仍是權威性的注本。元、明是宋學的繼續。明代在《詩經》音韻學和名物考證上有一些成績。宋、明詩話對《詩經》的藝術也有一些探討。

四、新漢學時期（清代）。清人以復古爲解放，要求脫離宋明理學桎梏，提倡復興漢學，興起新漢學。以古文經學爲本的考據學派，對《詩經》的文字、音韻、訓詁、名物進行了浩繁的考證。清今文學派則致力於搜輯三家詩遺說。馬瑞辰《毛詩傳箋通釋》以鄭玄《毛詩傳箋》爲本，吸取清代考據學成果，著重糾毛、鄭和孔疏的錯誤，也吸取今文可取疏解，是清代今古文通學的代表作。陳奐《詩毛氏傳疏》力主古文《毛詩》，是清代研究《毛詩》的集大成著作。王先謙《詩三家義集疏》是搜輯三家詩遺說的集大成著作。魏源《詩古微》是清今文《詩經》學的代表作。另外，姚際恆、崔述、方玉潤屬獨立思考派，以方玉潤《詩經原始》爲代表作。在清人詩話中，對《詩經》藝術形式的分析也較有價值。

五、「五四」以後時期。「五四」運動猛烈地掃蕩封建文化，爲恢復《詩經》的本來面目起過戰鬥作用。古史辨派對揭示《詩經》的眞相，作出積極的貢獻。三十年代的郭沫若倡導把《詩經》應用於古代社會研究，並且是《詩經》今譯爲新詩的創始人。三十和四十年代的聞一多把民俗學的方法、文學分析的方法和考據的方法結合起來，提出許多新穎的見解。當代也有許多有價值的論文和《詩經》全譯本多種。

二千餘年的《詩經》研究，主要集中於四個方面：

一、關於《詩經》的性質、時代、編訂、體制、傳授和流派的研究。

二、對於各篇內容和藝術形式的研究。

三、對於其中史料的研究。

四、文字、音韻、訓詁、名物的考證研究及校勘、輯佚等有關研究資料的研究。

在這四個方面，過去都積累了豐富的研究資料，有待於我們總結，並繼承和發展。

注釋

①西周從武王滅商（西元前一〇六四年）到幽王亡國，凡十一代二十五王，據《竹書紀年》說共二五七年。中國歷史有確實紀年，從西元前八四一年即共和元年開始，共和以前年代都不甚可靠。武王滅商後二年死，其弟周公旦攝政七年。《尚書大傳》：周公「五年營成周，六年制禮樂，七年還政。」故其開始制禮興樂在西元前約一〇五八年。《周頌》的大部分當製作在這個時期。近代學者王國維認為周公攝政七年之說不確，但不影響我們在這個問題上的論斷。

②近人王國維《大武樂章考》提出今本《詩經》中的〈昊天有成命〉、〈般〉爲《大武樂章》的首尾兩章，（見《觀堂集林》卷二）；近又有人提出〈酌〉也是《大武樂章》之一（見孫作雲《從讀史的方面談談詩經的時代和地域性》，載一九五九年人民文學出版社《詩經研究論文集》）。二說均難定確否。如所說成立，加上《武》、《賚》、《懷》、《大武樂章》就全部保存下來了。

③此處據趙翼《陔餘叢考》的統計。這個統計和近人夏承燾《採詩和賦詩》（載《中華文史論叢》第一輯）的統計不同。夏文統計《左傳》引詩一百三、四十處。這種差別，在於趙文把逸詩和在語辭中雜用的詩句都計算在內。

④對這個問題如感興趣，可參看賈公彥《周禮注疏》、章太炎《國政論衡・辨詩》、郭紹虞《六義說考辨》，《中華文史論叢》第七期或《照隅室古典文學論集下編》。

⑤見清・陳喬樅《三家詩遺說考》，《清經解續編》本。

⑥胡樸安（蘊玉）《詩經學》，商務印書館一九三〇年本。

⑦張西堂《詩經六論》，商務印書館一九五七年本。

⑧蔣善國《三百篇演論》，商務印書館一九三一年本。

⑨朱熹《語類》卷十八。

⑩對《周頌》問題如感興趣，請參閱拙作《論西周的頌歌》，載《文學評論叢刊》第三〇輯，中國社會科學

出版社一九八八年本。

⑪「終三十里」，《毛傳》、《孔疏》均曰：「言各極其望」，三十是約數，言其遼闊而已。「十千維耦」，十千爲萬，耦耕言二人結合耕作，言耕作者之多。《詩經原始》：「竊意詩言三十里者，一望之地也。言十千爲耦者，萬衆齊心合作也。一以見其人之衆，一以見其地之寬，豈有數在其胸中？」

⑫清·江永《古韻標準例言》：「三百篇者古音之叢，亦百世用韻之準，稽其入韻之字，凡千九百有奇；同今音者十七，異今音者十三。」

推薦閱讀書目

·《毛詩正義》　毛亨傳、鄭玄箋、孔穎達疏，《十三經注疏》本。

·《詩集傳》　朱熹撰，中華書局新排印本。

·《毛詩傳箋通釋》　馬瑞辰撰，中華書局新版本。

·《詩毛氏傳疏》　陳奐撰，中國書店影印本。

·《詩三家義集疏》　王先謙撰，中華書局新版本。

- 《詩經原始》 方玉潤撰，中華書局新版本。
- 《詩經通義》、《詩經新義》 聞一多撰，《聞一多全集》第二卷。
- 《詩經詮釋》 屈萬里撰 聯經出版社，一九八三年二月。
- 《詩經今注》 高亨撰，上海古籍出版社，一九八〇年本。
- 《詩經直解》 陳子展撰，復旦大學出版社，一九八三年本。
- 《詩經欣賞與研究》（改編版） 糜文開、裴普賢撰，三民書局，一九八七年十一月。
- 《詩經評註讀本》 裴普賢撰，三民書局，一九八二年七月、一九八三年十一月。
- 《古史辨》 第三冊有關文獻，上海古籍出版社影印本。
- 《詩書時代的社會變革與其思想上之反映》 郭沫若撰，《郭沫若全集》第二卷。
- 《詩經詞典》 向熹撰，四川人民出版社，一九八六年本。
- 《詩經研究史概要》 夏傳才撰，萬卷樓圖書有限公司新排本，一九九三年七月。